潜居 CHEERS

与最聪明的人共同进化

HERE COMES EVERYBODY

新核心素养系列
New Literacy

人人都该懂的
人工智能

Artificial
Intelligence
A Beginner's
Guide

[英]
布莱·惠特比 著
Blay Whitby

郭雪 译

浙江人民出版社
ZHEJIANG PEOPLE'S PUBLISHING HOUSE

测一测：你真的了解人工智能吗？

1. 在哪年的国际象棋锦标赛中，超级计算机"深蓝"一举打败人类国际象棋冠军加里·卡斯帕罗夫：
   A 1975　　　B 1976　　　C 1997　　　D 1998

2. 图灵测试的思想源于以下哪篇文章：
   A《计算机器与智能》　　B《会思考的机器》
   C《思想即我》　　　　　D《理解智能》

3. 以下哪个是大脑给人工智能研究带来的直接灵感：
   A 机器学习　　　　　　B 人工神经网络
   C 虚拟现实　　　　　　D 遗传算法

4. 在一个密闭房间内，只有一个空槽可以传入、送出纸张。在房间里，有一个人和一大堆用英文书写的指令书。屋外的某人把一张写满了线条的纸送入房间里。屋里的人查询指令书。指令书提到，如果这组线条被放入房间里，那么另外一张写有不同线条但描述精确的纸就必须被送出房间。屋里的人完全不知道输入房间的线条是中文字符，这些字符代表了用中文书写的问题。而输出的线条集合是对应这些问题的准确答案。这就是著名的中文屋实验。那么，以下哪种描述是正确的：
   A 因为屋里的人能够回答用中文提出的问题，那么他一定能够理解中文。
   B 屋里的人并不理解中文，他所做的只是在执行指令。
   C 不确定。
   D 人工智能可以完成这个实验。

5. 以下哪个描述不是"意识"的含义：
   A 与睡眠相对的意思，即清醒的——麻醉师所谓的有意识。
   B "有自我意识的"，比如"这一刻，我开始意识到，我对即将在旧金山的这种天气情况下着陆，感到非常焦虑"。
   C "你也许能够将那些能力放在机器人里，但是它仍然无法拥有意识。"
   D 那些"使你成为你，并且只能成为你"的东西。

测一测你对人工智能了解多少
扫码下载"湛庐阅读"App，
搜索"人人都该懂的人工智能"，获取问题答案。

前言

人工智能正在刷新未来

撰写《人人都该懂的人工智能》这本书的目的，是为了引导各位读者走进人工智能的奇妙世界。就像"新核心素养系列"的其他书一样，本书并不需要读者提前储备这一领域的基础知识，我只是希望，将人工智能这一主题，以及萦绕在其周围的那种令人兴奋的情绪，以一种"去技术、减术语"的方式传递给广大读者。

人工智能算是人类历史上最激动人心的挑战之一，或许我们甚至可以去掉"之一"两个字。不过那些相对严肃的书可能很难传递出这种令人激动的感觉。然而，无数来自各行各业的天才，先后投身到各种人工智能挑战之中，并义无反顾地倾注了无尽的热情，这也让人工智能成了一个非常令人兴奋的研究领域。有些挑战，乍看之下似乎是痴人说梦，但挑战"不可能"、无视那些世俗眼光，恰恰是新兴科学研究领域的特点。在从事人工智能写作的20余年时间里,我明白要实现这一领域的某些目标有多么困难。但是在我看米,能够和这样一群人同处一室是一种无价的特权。人们可能会说有些东西根本无法实现,可这群人偏不信,他们走出房间,拼命去实现。

人工智能并不仅仅是一些雄心勃勃的长远目标,实际上,它也是一项非常成功的技术。曾经的前沿理念,已经被应用到日常的计算技术之中。有一些我以前的学生和同事也进入了商业领域,通过开发、利用人工智能技术赚得盆满钵满。

人工智能领域从不缺少出色的书籍。然而,这些书中没有几本真正适合初学者。学校里选用的教科书往往更偏向技术层面,熟悉、理解各式各样的专业符号也就成了阅读这类书的必修课。

人工智能是一个非常多样化的研究领域,这本书(或者其他任意一本)势必无法涵盖人工智能研究和技术的方方面面。为了让普通读者尽可能多地认识这一领域,我难免会有所取舍,只能简要地描述一些技术细节。拓展阅读部分的参考书目应该能帮助好学的读者自行寻找、补充缺失的细节。

由于本书主要面向普通读者,所以我会尽可能地避免引用公式、计算机代码、逻辑或符号表达,同时,我也将最低限度地引用学术文章。从这点来看,这本书完全不同于人工智能教科书——这类学校用书中有很多出色的读本。我个人最喜欢的书目会在"拓展阅读"部分列出,不过,如果哪些书没有被收录其中,并不意味着我对它们的内容抱有成见。

若你想在人工智能行业谋得一职，那么在可能的情况下，你应该学习一些计算机编程知识。这并不是因为人工智能研究人员几乎把所有时间都用来编写计算机程序——实际上，他们绝大部分时间都在思考复杂的问题，只是因为计算机编程是这一领域的入门要求，就像是人工智能行业的"通用语言"。

人工智能的两大误区

关于人工智能，有两个流传甚广、危害不小的误区，我会在本书中对之全面击破。第一个误区是，一些人宣称对人工智能的研究注定会以失败告终（偶尔有人更言辞激烈地声称人工智能不可能实现）。这种说法显然是错误的。人工智能的成功正源源不断地为世界带来新技术，改变着人们的生活方式。读者可以在本书的各个章节中看到人工智能的成功案例。毫无疑问，人工智能专家将继续从他们的研究中剥离出那些有用的日常技术。人工智能同样成功地带来了大量重要的思想和方法，对科学和艺术等其他领域造成了巨大影响。

这类错误的说法之所以能够持续传播，主要是因为人们对人工智能目标的误读。大家很容易被这些目标搞晕，因为一直以来，关于人工智能的目标都没有定论——从让计算机更易使用到理解人类思维，不一而足。总有一些人表达着自己对人工智能的悲观态度，无论是这个领域的研究者还是圈外人。研究方法和目标的不确定性及流动性在新兴的研究领域中十分常见，而这种变化性也可能给这些新兴领域带来帮助。

第二个误区则是，人工智能"一旦取得了成功"，人类便将沦为全能机器这个新物种的奴隶。这种说法不仅是错误的，简直就是荒谬的。必须承认的是，这类传言的肆虐要归咎于人工智能领域的某些学者。不过，即便如此，这仍然是无稽之谈。无论是现在的人工智能技术，还是未来可以预见的人工智能发展，都不会给我们带来这种"反乌托邦式"的前景。到目前为止，人工智能一直都被证明是一项造福人类的技术。与其他技术领域相似，人工智能领域也存在着成本与收益的平衡，我们将在后文中对此进行详细探讨。与20世纪下半叶兴起的很多技术相比，人工智能仍然是人们喜闻乐见的。

解锁人工智能的旅程

也许大多数关于人工智能的书都会在一定程度上偏向某些特定的方法，而忽略或贬低其他方法。不过，对初学者来说，这样的内容并不合适，初学者指南应该给读者带来整个领域的概况。诚然，我的个人观点会充斥全书，但我会尽可能地做到兼收并蓄。出于相似的原因，在撰写本书时，我也会尽可能地避免使用传统方式来展示内容和主题，因为这会让人们产生一种错误的印象，误以为新成果已经取代了先前的技术。实际上，人工智能的发展并不是线性的。往往某些技术和思想能够吸引大家的目光长达10年之久，然后被取代，又在几个10年之后被人"重新发现"，重归领域前沿。

本书第1章将解答关于"什么是人工智能"的问题，圈外人往往会自然而然地认为，这一领域只会由一种思想占据主流地位。事实并非如此，人工智能领域存在着普遍的争议，尤其是在涉及这一领域的准确范畴和目标时。苦苦思索这一领域的定义，特别是对一个在过去数年里一直进行相关教学和写作的人来说，可能会显得太过任性。然而，记住这一点非常重要：定义是科学研究过程中的关键步骤，而像人工智能这样方兴未艾的科学，有足够的空间来吸纳不同的观点和技术。

第 2 章关注人工智能的应用。这一章将对人工智能的部分成功应用案例及原理进行解释。

第 3 章将介绍由生物学启发而展开的人工智能研究及应用，包括设计、打造类似人脑形式的计算机程序，以及受模仿生物进化启发而开发出的程序。

在第 4 章，我们将重新回归主题，审视仍然留存在人工智能领域的挑战，以及当前尝试应对这些挑战的一些研究方向。

第 5 章关乎人工智能的扩散，主要针对人工智能更广泛的影响。作为一门科学，人工智能通过向外传输强大的、生命力极高的思想，同样为其他科学、艺术领域带来了影响。而现在，这一点在认知科学领域的发展中尤为明显。受到人工智能的思路和技术启发，这一新兴科学领域已经取得了长足的进步。最近 25 年，在我任职的大学中，认知科学已经从少数几位背景各异的研究人员的课余活动，变成了全校最大的科学学科。

第 6 章将着眼于人工智能的社会影响。作为一项技术，人工智能已经带来了一定程度的社会影响，而我们想要的东西可能不止于此。

我们已经进入这样一个时代：人类会依赖智能机器，让它们帮助我们完成一些脑力劳动。人们可能会担心，有朝一日自己会显得多余，变得颓废，但实际上，我们一直都在将机器和技术作为跳板，以此寻求超出我们想象的、更伟大的人类成就。对我来说，能得到这样一个机会来介绍如此令人兴奋的趋势，无疑是一项殊荣。

● **拓展阅读**

- 斯图尔特·罗素（Stuart J. Russell）和彼得·诺维格（Peter Norvig）的《人工智能：一种现代的方法》（*Artificial Intelligence, A Modern Approach*）（2003年）是一本不错的人工智能通识读本。它采纳了基于代理（agent-based）的人工智能方法，想要追踪本书中的诸多观点，这会是一个不错的切入点。

- 玛格丽特·博登（Margaret Boden）的《人工智能与自然人》（*Artificial Intelligence and Natural Man*）（1987年）介绍了许多早期人工智能程序，这本书的技术性与罗素、诺维格的著作相比略低。

- 如果你决定学习计算机编程，最好的方法或许是动手实践，而非抱着一本书埋头苦读。

目录

前言 人工智能正在刷新未来 / Ⅲ

1

重新认知人工智能

无处不在的人工智能 / 003
人工智能的 3 大误解 / 006
模拟思维 vs. 真实思维 / 009
共同的原则,人工智能的终极目标 / 015
图灵测试,测的到底是什么 / 016
不应一味地模仿人类 / 021

2

人工智能的荣耀时刻

一些闪耀的成功 / 027
搜索,一切现实问题的解 / 030

"蓝巨人"的胜利 /036
专家系统，源于知识的力量 /041
机器学习，突破知识获取瓶颈 /046
数据中的钻石 /049

057

生物学，人工智能的灵感源

来自大脑的灵感 /060
人工神经网络，更精确的识别 /069
无监督学习 /071
人工神经网络是智能的关键吗 /074
遗传算法，从进化中学习 /078
为什么不去"创造"智能 /084

089

人工智能跃迁的7大难题

历史难题：研究领域的派系之争 /092
环境难题：哪些是智能机器需要知道的 /095
中文屋难题：理解而非遵照指令 /099
算法化难题：机器不能模拟人的思维逻辑 /103
信息处理难题：将机器人带入真实世界 /105
整体观难题：功能分解行不通 /107
人造生命可行性难题：简单行为背后是复杂逻辑 /110

5

通向真正的人工智能之路

"确实如此,但是……" / 123
认知科学是什么 / 127
图灵测试是什么 / 134
意识是什么 / 134
智能是什么 / 138

人工智能应有益于人类

像电力一样颠覆社会 / 147
人工智能的黄金时代 / 148
机器人将会统治世界? / 151
下一个"莫扎特"会是人工智能吗 / 156
预测未来十分愚蠢 / 159
人工智能的最前沿 / 160
整合,将成功最大化 / 162
前景巨大的人造代理 / 166
虚拟女友和人造伴侣,下一个大机遇 / 169

注释 / 175

补充资料 / 177

致谢 / 185

重新认知人工智能

A
BEGINNER'S
GUIDE

人工智能就是要机器模仿人的智能?

通过图灵测试就是人工智能的终极目标吗?

人工智能已经占领了人类全部的知识领域?

无处不在的人工智能

人工智能是指对人类、动物、机器智能行为的研究,以及将此类行为融入人造品中的尝试与努力。它算得上人类历史上最艰巨、最激动人心的事业之一。

乍看起来,实现人工智能似乎并无明显的困难,不过,追逐这一目标的过程,却让人们逐渐认识到此中险阻。有人会将太空探索的难度与人工智能研究的难度相比较。不过,二者其实毫无可比性。因为我们对太空探索中涉及的技术难题多少有所了解,但对摆在人工智能面前的绊脚石几乎一无所知。

不过,另一方面,虽然人工智能研究非常艰难,但无论从实用角度还是理论层面来看,都是回报大于付出的。从实用角度来看,人工智能早已证明了自身。就像我们将在本书第 2 章中看到的,人工智能的应用以及对人工智能的研究所带来的衍生品,已经在塑造着我们的科技和社会，而在未来，这样的影响还会加剧。理论层面的回报则显得更加令人兴奋。对于人类提出的那些关乎自身以及所处世界的最困难的疑问，人工智能都能带来（现今也逐渐开始带来）一些科学的理解。我们正处于一场旅行的起点，并将走向最具挑战的"内心世界"，那里由一些基本的问题构成，比如"作为一个思维存在，这究竟意味着什么"。

在很多人看来，这一科学追寻是令人紧张的。的确如此。我们最珍视的一些人类属性可能会被科学加以解释，这种可能性本身就像是某种威胁。

◎ 首先，有一点非常重要，那就是不要将这种威胁视作妖魔鬼怪。正如我们将要看到的，人工智能的研究仍然没有触及人类思维的诸多方面，有些内容甚至可能永远不会被研究到。

◎ 其次，举例来说，即便我们早已对彩虹的形成做出了略显无趣的解释，但这并不会让它的美丽有所减损。如果在未来的某一天，我们也能给人类的创造力赋予一种科学的解释，这同样不会让创意产品变得丑陋无趣。人类智能的产物，并不会因为这些解释而变得暗淡。

这一威胁真正的源头，可能是人类对未知的神秘事物的偏爱。在有关世界的故事中，人们总会习惯性地添加一些神秘色彩，特别是在讲那些"做重要决策"或"有了最好的创意"的故事时。不过，与此同时，人类也被驱动着去探索。就像我们必须不断努力去寻找宇宙的边界一样，我们也需要不懈地探索人类及其他动物的智能是如何运作的。智能以及它所带来的那些奇妙的衍生品，并不会因为这种调查而失色。相反，我们在让机器获取某些简单的智能行为时，所遇到的意外的困难，会激发我们对自然智能的奇妙产生敬畏。

人工智能定义的另一个重要结果，其实在本章开头已经给出，那就是，它显然已经超越了研究的传统界限。它既是科学也是工程学，因为这一领域既包括对智能行为的研究，又关乎如何去打造这些行为。的确，人工智能领域的工作通常会无视科学和工程学之间的界限，因为它需要通过建造的过程来追寻原理。听起来更激进的是，实际上，我们在很多地方都能够发现"智能行为"。

> 智能行为存在于蜜蜂的交流中，存在于股票交易过程和股价的变化中，存在于《哈姆雷特》里隐喻的使用中，同样也存在于自动空中交通管制系统中。我们想要了解它，就必须做好准备，在所有这些地方，甚至更多的领域中追寻它。这让传统的艺术与科学的边界、工程学与生物学的边界，个人与群体的边界，都变得毫无意义。

一直以来，人工智能都是一项真正意义上的跨学科研究，它是艺术也是科学，是工程学也是心理学。这些抽象的论断听起来有些夸大其词，不过你也应该听说过，人工智能编写的一些程序已经能够模拟一个偏执的精神分裂症患者的咆哮，或者模拟出生物的出生、养育以及进化的过程。有些人工智能程序能够发现新的数学定理，有些则能够完成爵士乐的即兴创作。人工智能产生了能检测到欺诈性金融交易的程序，也创造了能够收走实验室中空可乐罐的机器人。有的人工智能程序能够绘画，有的能够进行医疗诊断，有的能够授课，还有的能够学习。

这并不是想给人施加一种印象：人工智能已经占领了全部知识领域。事实远非如此。人工智能取得的这些成功大多是浅层的、笨拙的，而且难以在其他领域进行推广。相比之下，倒不如说，这些实践是我们对未来某一天可能会实现的成就的诱人一瞥。最重要的是，这些小成就是那广阔愿景可能实现的证据，它不断地激励着人们进行人工智能研究。

人工智能的 3 大误解

理解人工智能的第一步也是最重要的一步，就是摒弃你的先入之见。相信大多数读者在此之前，都已经或多或少对人工智能有一些朦胧的见解。然而，这些看法有可能是完全错误的。在继续前进之前，你应该尽可能地放弃这些想法。

举例来说，你或许对"智能"这个词有着某些理解。这种理解可能会让你假设，人工智能与创造这一种类智能的人类智能有所关联，而学者们又把这种智能安插在某些机器中。不过，在本书中你将反复看到，这样的假设实际上误导性非常强。人工智能的研究不断显示出，我们对自己的智能并没有任何科学的理解。而更令人惊奇的是，我们渐渐发现，人类运用自己的智能来解决问题的各种各样的方法，并不是唯一可行的方法，而且通常也不是最佳方案。

我们有充分的理由（将在第 3 章及第 4 章中详述）相信，对于人类智能的研究，通常对人工智能来说并无裨益。我们不但缺少对于人类智能大多数细节的科学理解，而且想要在机器中模拟这种级别的智能也超越了科技发展的最高水平。很多人工智能学者干脆选择去研究那些相对简单的生物，比如昆虫，因为在他们看来，人类智能太过复杂，难以给他们的工作带来更多的启发。

另一方面，其他的人工智能学者则在让机器实现某些人类行为的研究中，取得了一些可观的成果。下国际象棋就是一个很好的例子。当然，在人工智能研究刚刚起步的20世纪50年代，国际象棋被视作人类智能行为的一个典型例子。在 1997 年的国际象棋锦标赛中，超级计算机"深蓝"一举打败人类国际象棋冠军加里·卡斯帕罗夫（Gary Kasparov）。机器下棋更出色的说法受到了广泛的认可。

然而，当我们重新审视细节（第 2 章），去了解计算机下棋的方式,我们就会看到,它的思维方式与人类棋手的套路有着天壤之别。说计算机比人类更擅长下国际象棋可能会引起争议,不过在这一领域中,"更出色"就意味着胜利。对于一个打败人类世界冠军的下棋软件,我们还能要求更多吗?至少在这一领域,似乎有理由去说,我们找到了比人类更优秀的策略。

而另一类对人工智能的成见来自科幻世界。智能机器、机器人、半机械人等,几乎是所有科幻小说家最爱的主题。然而很不幸,我们从这些小说中获得的内容,同样有着很强的误导性。有时我们不该忘记,科幻小说归根结底仍是小说。它可能时常会给人工智能及其他领域的科学家带来灵感,不过与此同时,它也可能给目前研究中真正发生的事情带来一些错误的认识。这可能会导致读者做出一些错误的假设,比如认为很多远超目前进展的事情已经完成,或者把如今的人工智能想象得与人类更像。本书将会挑战这些假设。

最后一类先入为主的概念来自那些广为流传的有关计算机的传说。这些传说被传播到太多地方,有时甚至是通过了一些计算机科学家之口。因此,想挑战这些传说需要一些勇气,不过这是我们必须要做的。人们常说:"计算机只会做那些我们让它们做的事情。"就像所有好的传说一样,这一句也不乏真实元素。所有计算机都需要精心编码的软件(通常是由人类编写的程序)来进行运转。然而,如果这句话被误读为"计算机能做的事情,都需要依据详细而明确的指令",那就大错特错了。在本书中，我将向读者介绍一些能够进行预测、有知觉并且在很多方面都超越了其创造者的程序。我们也将听到一些"机器人并不是设计的产物，而是进化的结果"这样的论断。

出于相似的原因，读者还需放弃一种想法，那就是计算机是纯理性的推理机器。人工智能研究者并没有把他们的研究和实验禁锢在智能行为的理性范畴之中。的确，在那些更为理性的领域中，人工智能获得了更大的成功，不过人工智能也的确会让计算机做一些非理性的事情。人工智能研究的一大发现是，智能行为的全部领域，实际上与逻辑推理并无关系。一些不同的方法是有必要的，不过，我们在"让计算机在这些领域运转"方面也取得了一些令人震惊的成功。

模拟思维 vs. 真实思维

人工智能研究者从未以某种特定的研究方法来定义他们的领域。我们可能会说，在人工智能领域，研究方法的种类不少于研究者的数量。造成这种现象的原因很多：

◎ 首先，人工智能这样一个广泛而跨学科的领域，在研究方法的选择上一定也是不拘一格的。

◎ 其次，对那些独立的人工智能研究者来说，追求不同目标并非难事。以人工智能分支 NLP（natural language processing，即自然语言处理）为例。这涉及创建能够用英语或其他人类语言与我们沟通的计算机程序。它同时兼具几大目标,比如至少让计算机更易于使用、理解自然语言构造的复杂规则、发现人类学习及使用这些规则的方式。不同的研究者可能对这三个目标中的某一个有所偏好。实际上,即便是同一个研究者,可能也会在不同场合,根据不同的受众,侧重于不同目标。

NLP 领域的实际情况,对人工智能整体来讲也是成立的。这一领域的研究从来都具有多重目标。借用科学领域常用的一个军事隐喻,我们可以说,人工智能选择在最宽广的前线攻击它的问题区域。相比集中火力去打击可能导致人工智能核心问题的区域,它所做的是沿着人类知识线展开小规模的突击。这些小战役有的可能会取得胜利,有的却可能战绩不佳,但是在几年的时间里,战事可能发生逆转。或许我们可以这样理解,那些在小战役中取得不错成果的研究者,往往会激动地呐喊自己带来了期待已久的突破。然而,待到硝烟四散、尘埃落定之时,他们才发现,自己只是向前移动了几米的距离。同时,其他研究者可能又掀起了新的浪潮,并给出了看似可信的理由,说明自己的研究在这一领域取得了多大的突破。然而纵观人工智能的历史,这些所谓的"大突破",往往只是把研究的前线向前挪动了有限的几百米。到目前为止,人工智能领域在稳步前进,但没有取得实质意义上的大突破。

人工智能研究的主要工具是数字计算机。不过,这并不意味着人工智能就是数字计算机。计算机是工具，而它之所以被选为工具，是因为研究者能够通过使用这些设备，打造并检验"行为模型"。一些人工智能研究者认为，有必要打造能够与真实世界互动的真正的机器人。我们将在下一章中解释为什么他们会有这样的观点。现在，我们已经可以说：大多数人工智能的研究都在广泛地应用计算机程序，并对真实世界的某些方面进行建模。

这种研究方式提出了许多困难的问题。很多读者可能会根据自己的直觉认为，"模拟思维"和"真实思维"是两个完全不同的世界，而我也将在后面的章节中对此做出更详细的解释。截至目前，我们可以说，很多领域对计算机的使用是非常有成效的。例如，我们会看到土木工程师利用计算机建模，设计出了能够承受飓风威胁的大桥。而真的去建造一座桥，然后等待"百年一遇"的气候灾难无疑是非常愚蠢的。计算机在几小时内，就能对这些土木工程师的所有疑虑做出解答。计算机有能力在很短的时间中试遍各种可能性，这也让它成了人工智能领域非常实用的工具。

现代计算机让我们能够为比桥梁、风暴更复杂的事物进行详细建模。我们能够将图片、音乐以数字格式进行存储，也可以对能够准确描述的一切事物进行数字化操作。这种对准确描述的需求，也许正是理解人工智能研究方法的关键。而计算机（或实体机器人）在人工智能领域的另一个重要作用，就是促使研究人员提出关于自然智能的某些问题。计算机不仅能被用于建模,还能够激发一些特定的科学问题。在看待熟悉的事物时,询问"该如何让计算机实现这些目标"为我们的思维方式带来了一种新的科学严谨性。

读懂人工智能
寻找"空气动力学"

人们习惯于将人工智能与"人造飞行器"进行对比。这个比较放在这里恰到好处。在20世纪初,人们对鸟类、昆虫飞行方式的理解非常有限,显然,他们也希望通过科学调查来解开这些困惑。当莱特兄弟在1903年开启了飞行时代的时候,大多数生物教科书都说,鸟类能够飞行是"因为它们具备飞行的能力"。这样略显牵强的解释来自亚里士多德于公元前4世纪在雅典写下的那席话。然而这种解释并不能给那些希望理解飞行器的人带来任何帮助。

在成功制造出飞行器后,由于对飞行有了更深入的理解,我们自然而然地知道,鸟类能够飞翔是因为它们成功地遵循了空气动力学。类似地,寻找某种"智能的空气动力学"也常常被视作人工智能的终极目标。正如制造飞行器让我们对鸟类的飞行有了科学的理解,人们也希望,这些打造智能机器的努力能够加深我们对智能的科学理解。

当然,人工智能研究所包含的不仅仅是编写一些计算机程序。如果你希望建造一个东西来模拟某种动物的智能，那么你就得对这种动物进行详尽的研究。许多人工智能研究涉及生物学或心理学的内容，有时甚至还包括哲学。抛开各学科之间的"地盘争夺战"（这样的斗争毫无价值），我们会发现，将计算机作为工具使用也让这些"分类"变得更为严谨。

典型的例子并不难找，就以你现在正在执行的任务——阅读为例。显然，你能看到这些内容，是因为你有"阅读的能力"。我们可以据此推断，你有一本印刷清晰的书，至少有一只能够工作的眼睛。然而，这些事实对于设计一款能够阅读的机器来说没有任何帮助。想要打造一款能够阅读的机器，我们还需要提出一些更为详细的问题。

例如，你是否正在看每个字母，然后将它与字符库（至少114个）进行比较，来确定它是什么，之后再将目光移向下一个字母？每遇到一个空格，就将这些字母组合成一个单词，然后通过查阅某种词典进行检索（这一步涉及的数量会更多），从而辨识出它的含义？完成这一系列的搜索和解码后，你仍需要把这些词语组成一个句子，然后提取出某种含义。在合理的时间内（比如今天，而不是下周）完成所有这些任务，这甚至已经超出了目前最强大的计算机的能力范畴。

另一方面，你可以利用自己的知识来完成"猜测"。对语法规则的了解会告诉你，大多数正确的英文句子，都由一个名词短语和一个动词短语组成。找到动词短语"是"（这个动词就在这里！）理解一个句子的关键。即使你没有认真学习过正规语法，可能也早已使用这些规则来进行阅读了。不过，单是语法本身并不足以让你理解一个句子。想要提取一个句子中蕴藏的意义，对世界的理解似乎也是一个重要的元素。这些理解将提前告诉你，接下来可能会出现哪些单词或句子。对世界的了解可以减少阅读过程中所包含的计算量，不过这也有着很高的代价。现在我们需要思考，你该如何获得这些关于世界的知识，以及为了读懂这些内容，如何很快地运用这些知识。让一台计算机来完成这一切，远非什么轻而易举的事情！

不要对你的阅读产生过多的自我理解，否则你将无法继续！这里非常重要的一点是，你想阅读的时候，并不需要去了解上述这些问题，但倘若你想打造一台阅读机器，或是去了解你能够进行阅读的原理，那么就必须找到这些问题的答案。人工智能让我们至少能够去思考该如何开展打造具备某种能力的机器的任务，即使在未来并不会出现这样的机器。反过来，这也会为我们看待智能行为案例的方式加入更多知识和科学严谨性。即使我们思考的仅是一台尚无法制造出来的理论机器，这些讨论肯定也已经超越了我们如何做事情的表象。就像早期简陋的飞行器结束了人们将鸟类飞行归结为"飞行的能力"的误读，思考这些最原始的智能机器意味着，我们必须以一种更严谨、更详细的方式来看待生物学、心理学和语言学。

共同的原则，人工智能的终极目标

就像我们已经看到的，人工智能涉及一系列范围宽广的问题和方法。实际上，这个范围太大了，导致不少人工智能研究者认为，这一领域的其他研究和自己的工作并不在一个频道上。实际上，这也不是什么大问题。"百花齐放"是人工智能的一句流行语。另外，对一些评论者来说，给出这一领域的"终极目标"却显得非常重要。

举例来说，一个研究团队可能将大把的时间花在了精密齿轮加工的工作上，希望能够制造出爬楼梯时不会跌倒的机器人。而另一支队伍可能在努力研究文献，思考能否找到理解隐喻的方法。他们的终极目标可能是，打造出一个能够识别人类输入的隐喻并做出回应的计算机程序。正常情况下，我们怎么可能会觉得，这两个团队处于相同的领域呢？

想找到一个能把这些琳琅满目的研究领域集合在一起的终极目标并非易事，如果我们给出了错误的答案，很可能会导致一些不好的结果。纵观人工智能的历史，人们曾多次努力，想对其终极目标做出一个简洁的描述，然而结果都无法令人满意。同一时代的很多研究者干脆选择不去面对这些问题，相反，他们更倾向于集中精力达成自己的"局部目标"。然而这种做法也导致他们错失了一些跨学科的发展机会，要知道，这些机遇在人工智能研究的过程中是颇有裨益的。

比如，那些齿轮机械师需要知道，昆虫的足如何由关节连接，鸟类需要具备什么样的特性才能通过两条腿保持平衡，等等。而那些文献分析人员，可能需要了解多值逻辑的工作原理，这在隐喻的研究中可能有着一定的作用。尽管存在各种困难，仔细研究一些对"人工智能的终极目标"的回答仍然是有意义的。

我们已经看到了一个可行的、也是我个人最喜欢的答案，它就涵盖在之前提到的"智能的空气动力学"之中。以这种角度来看，人工智能的终极目标，就是对人类、动物、机器智能做出科学解释，并找出这三者之间的共同原则。一个必须承认的问题是，我们现在对这些共同的原则知之甚少。我们将在第5章中更详细地讨论这点。

其他一些定义人工智能终极目标的方法倾向于强调在机器中打造"人类水平"的智能。由于上文讨论过的一些原因，我们需要审慎对待这一目标。不过，有一个名为"图灵测试"（Turing Test）的方法对人工智能的发展影响巨大，因此，我们有必要在接下来的两小节里对之进行详细阐述。

图灵测试，测的到底是什么

毫无疑问，对"什么是人工智能的终极目标"这一问题的回答，最有名的一个当属所谓的图灵测试。之所以加上"所谓的"三个字，是因为阿兰·图灵本人从未谈及任何测试。人们对图灵，以及这个以他名字命名的测试都有着太多的误解。更准确地说，这可能要被称为人工智能的民间传说。请带着你先入为主的那些观念，来听听我更详细地介绍整个故事。

毋庸置疑，阿兰·图灵是个天才。从剑桥大学国王学院数学系毕业后，他撰写了一篇论文（发表于 1936 年），这篇文章完全刷新了我们对数学本质的理解。这对普通的天才来说已经足够了，但对图灵来说仅仅是个开始。在第二次世界大战期间（更准确地说是 1939 年 9 月），他和一批精英知识分子被英国军方秘密派遣到一个被称为布莱切利园的豪华庄园中。这一地点现在已经成了英国南部米尔顿凯恩斯城郊一个最值得去的景点。

这些天才的任务是破译德国军队使用的谜一般的恩尼格玛（Enigma）密码。从这一使命来看，他们取得了巨大成功。在恩尼格玛密码被破解的过程中，图灵本人扮演了核心角色。在德国人看来，这些密码根本不可能被攻破。这也导致了即使在战争将要结束、盟军显然已有能力对德军的行动做出预判时，德军高层仍然在努力从自己的队伍中寻找埋伏的间谍，而没有去考虑恩尼格玛密码实际上已被破解的可能。

很明显，英国人具备了破解德国人秘密传输的信息的能力，也就获得了使战争胜利的优势。那些最保守的历史学家都承认，这一成就将第二次世界大战的结束时间提早了至少一年。然而当时，这一切解码的努力都被英方归为高度机密，并没有广为人知。事实上，这段发生在布莱切利园的故事直到20世纪80年代才逐渐被传开，但其中很多内容直到现在仍然是作为机密保存的。

对现在的目标来说最重要的是，这些发生在布莱切利园的解码工作包括了对机器的使用，而这些设备也被视为现代计算机的前身。恩尼格玛密码的名字主要来自进行加密的恩尼格玛机。英国的密码破译工作者还采用了其他机器。其中最重要的一个被称为"巨人计算机"（Colossus）。它几乎具备了现代电子计算机的绝大多数功能，不过因为那些愚蠢的保密要求，布莱切利园的10台机器在战争结束后被悉数销毁。

这让图灵和同事们陷入了一个极度窘迫的境地。他们虽然知道该如何打造有效的电子计算机，却不能透露自己所了解的实情。实际上，在布莱切利园，他们曾没日没夜地看着这些机器运转，可是在事后，却不能对别人吐露半个字。后来，英国曼彻斯特大学的一个小团队打造了一台机器，这也被认为是所有现代计算机的起源。1948年，阿兰·图灵为这台机器编写程序，同一时期他还在撰写一篇题为《计算机器与智能》（Computing Machinery and Intelligence）的论文。而后来衍生出的被称为图灵测试的思想，就藏在这篇文章之中。

1950 年，英国著名哲学杂志 *Mind* 刊载了这篇题为《计算机器与智能》的论文。值得注意的是，这篇论文由一个数学家、后来的密码破译者、计算机程序员写就，并发表在哲学期刊上。看来，人工智能跨学科的本质，在它萌生的时候就已经显露端倪。

读懂人工智能
模仿游戏

在《计算机器与智能》一文中，图灵曾表达自己希望讨论"机器是否能够思考"的问题。然而由于这一问题太过抽象，他决定用一个游戏来进行详细的描述。这被他称为"模仿游戏"（imitation game）。游戏需要 3 个分处不同房间的参与者通过打字与彼此交流。最初的版本中，参与者分别是一个男人、一个女人和一个任意性别的提问者。提问者，顾名思义，就是一个能够对另外两个参与者提出任何问题的人。游戏的目标，是让参与游戏的男人和女人，都努力让提问者相信自己才是女人。女人需要对这些问题做出真实的回答，男人则可以用"别听他的，我才是那个女人"之类的话语来迷惑裁判（这倒是和现在网络聊天室的一些行为颇为相似）。

图灵接着提问，如果在这一游戏中，一台机器能够成功扮演一个男人的角色，那么我们会怎么看？也就是说，在提问 5 分钟之后，一个普通的提问者在至少 30% 的情况下无法判断出自己是否在与机器交流。如果我们能够制造出在模仿游戏里做到这些的机器,那么普通人会很乐意将这种机器视作会思考的机器。

实际上,问题并不是我们"是否"能够制造出这样的机器,而是"何时"能够让它们实现。图灵曾自信地预测,在2000年前后,数字计算机能够在模仿游戏中取得这一水平的成功。这样的成就将转变人们的态度,而那时候去谈论"思维机器"便不再是什么天方夜谭了。这篇文章中非常值得一提的是,图灵几乎很准确地预测出2000年前后计算机的计算水平。要知道,当时全球仅有曼彻斯特"计算机"这棵独苗,而它那塞满整个房间的设备所具备的处理能力,还不及现在一枚小巧的微芯片所拥有的算力。图灵对计算机能力增长的预测是正确的;只不过,直至现在以及我们可预见的未来,也没有哪台计算机能够在这种模仿游戏中获得胜利。

不幸的是,阿兰·图灵的职业生涯在这篇论文发表不久后就戛然而止。1954年,年仅42岁的图灵自杀身亡。20世纪50年代,在图灵传奇一生行近尾声的时候,他的关注点转移到了生物学的数学基础上,而这一领域在20世纪90年代开始受到人工智能研究者的广泛关注。

不应一味地模仿人类

我们有很多理由来解释为什么图灵测试不该被视作人工智能的目标，至少它不是终极目标。第一个问题是，这一测试主要集中在人类的表现上，这对人工智能来说是一个不必要的限制。人工智能也涉及其他动物，而它们中的大多数都不可能参与到这种"模仿游戏"中。其次，在制造机器的过程中，一味地去模仿人类的方式和表现也并非正途。

对于我的上一段文字，人工智能领域的一些研究者可能并不认同。的确，每年都会有很多人工智能程序参与到模仿游戏的竞赛之中。以出资人休·勒布纳（Hugh Loebner）博士的名字命名的"勒布纳奖"，会对首个能够通过他设置的图灵测试的计算机程序提供10万美元的奖励。虽然直到现在也没有哪个程序斩获大奖，不过每年都有2 000美元的小奖项送出，用于奖励参与竞赛的最接近人类的计算机程序，而这也吸引了大量不错的尝试。

然而仔细审视这些程序，我们就会发现把图灵测试视作人工智能终极目标的第二个大问题。每年那些2 000美元奖励的获得者，实际上都只是一些相当简单的计算机程序，它们的设计是为了提供一种掌握了对话的假象。而如今，这类程序也被称为"聊天机器人"。它们被预设了一些回答，然后根据提问者提供的各种各样的信息输入，找到对应的解答。这种方式最早在 1966 年出现在一个名为 ELIZA 的程序中。这一程序得名于萧伯纳的戏剧《卖花女》中伊莱莎·杜立德（Eliza Doolittle）一角。然而，这种对应并不完全准确，因为伊莱莎·杜立德被训练而会讲话，这个同名程序却仅仅给人一种能够讲话的错觉。

自 1966 年起，此类程序的升级版不断涌现，然而，这些程序中也没有哪个真正推动了人工智能的进步。例如，如果程序打出的文字执着于与政治或性相关的话题，那么提问者往往会将它视作人类。这样的结果能够让我们窥见人类的心理，却并不能告诉我们如何打造智能机器。

这揭示了将图灵测试视作人工智能终极目标所面临的第三个非常严肃的问题。它会导致一些研究人员将工作重点放在制造用于欺骗人类的程序上，而不去研究智能问题的基本解决方案。在下一章中，我们将审视一些声称通过了图灵测试的程序。我们很快就会清晰地认识到，这些程序实现的不是智能，而是欺骗。

人工智能领域的很多人，虽然会认同我对图灵测试的批判，但仍然认为它具有一定意义，因为真正智能的机器（无论那意味着什么），势必都能通过这一测试，也就是说，通过测试会是智能的一个副产品。无论对错与否，短期内我们都不太可能看到这样的机器。还记得"提问者可以提出任何问题"的前提吗？这也就意味着，图灵测试的确是一个非常难的测试。

然而现实是，打造一台能够通过图灵测试的机器将耗费无数精力、经费，却很可能无法带来任何实质意义。对人类智能的模仿很难做到赢利，因为我们身边从来都不缺少人类智能。

章后总结

1. 人工智能领域的工作通常会无视科学和工程学之间的界限，因为它需要通过建造的过程来追寻原理。

2. 人类运用自己的智能来解决问题的各种各样的方法，并不是唯一可行的方法，而且通常也不是最佳方案。

3. 大多数人工智能的研究都广泛地应用计算机程序，对真实世界的某些方面进行建模。

4. 人工智能的终极目标，就是对人类、动物、机器智能做出科学解释，并找出这三者之间的共同原则。

● 拓展阅读

- 帕梅拉·麦考达克（Pamela McCorduck）的著作《机器思维》（*Machines Who Think*）（1979年）介绍了不少发生在美国的早期人工智能狂热分子的历史逸事和细节。

- 参考安德鲁·霍奇斯（Andrew Hodges）的《阿兰·图灵：恩尼格玛的智能》（*Alan Turing: The Enigma of Intelligence*）（1983年）一书，可以更好地了解阿兰·图灵和他的成就。霍奇斯同样维护了一个巨大、全面的阿兰·图灵网站：http://www.turing.org.uk/turing/index.html。

- 图灵的《计算机器与智能》（*Computing Machinery and Intelligence*）是一篇可读性高、非技术性的论文。这篇论文被发表在许多地方，其中包括由道格拉斯·R. 霍夫施塔特（D. R. Hoffstadter）和丹尼尔·C. 丹尼特（D. C. Dennett）整理的、集合了诸多优秀论文的《思想即我》（*The Mind's I*）（1981年）。

- 泰德·恩维尔（Ted Enver）的《英国鲜为人知的秘密》（*Britain's Best Kept Secret*）（1994年）是介绍布莱切利园辉煌历史的必读著作。

- 你可以在线了解勒布纳奖（Loebner prize），网址如下：http://www.loebner.net/Prizef/loebner-prize.html。

- 亨克·滕内克斯（Henk Tennekes）的《飞行的简单科学：从昆虫到巨型喷气式飞机》（*The Simple Science of Flight: from Insects to Jumbo Jets*）清晰地解释了为何同样的空气动力学原理能够适用于鸟类和飞行器。这本书也可以帮助我们学习飞行。每个人都应该读读它。

② 人工智能的荣耀时刻

A
BEGINNER'S
GUIDE

人工智能目前都在哪些领域获得了极大的成功？

人工智能第一次战胜人类是什么时候？

为什么机器学习成为人工智能研究的重要趋势？

一些闪耀的成功

当你注视着航天飞机从肯尼迪航天中心发射塔缓缓升空,离开地球,进入另一条轨道,你可能会折服于脱离地心引力所需要的这种原始力量,以及达到这一目标所需要的工程技术。同样令人印象深刻却不易被察觉的是,航天飞机能够飞入宇宙,实际上也是人工智能程序的成果。这一隐藏于幕后的程序,能够为宇航设备发射做好时间安排。

航天飞机从发射、准备升空到转向这一系列动作,涉及 5 000 ~ 10 000 个不同的工程操作。而这些操作往往又以很多复杂的方式相互依赖,某些情况下,一些动作需要等待其他操作完成才能开始。在其他情况下开始一系列动作,例如给燃料系统充电,可能会暂停系统中其他所有工作的进行。为了尽可能快地实现宇航设备转向,这一系列复杂操作都需要顺利完成。任何失误、重复或不必要的动作都可能导致下次发射推迟数月的时间。

更重要的是，这些工程操作的顺序不能被固化，也不能在之后类似的任务中照搬。每一次任务都需要对有效载荷、轨道、入轨时间等做出调整。每一次任务都会带来不同程度的老化、压力和磨损。只有当系统作为转向的一部分被拆除时，这些模式才能被检测到。在出现问题的时候，这些操作的顺序可能会被多次调整。这有时被人们称为"约束满足问题"（constraint satisfaction problem）：当改变一件事会对复杂连锁网络中的其他节点带来一系列变化时，我们所遇到的问题。为一所学校准备课表是另外一种约束满足问题。它与航天飞机任务的区别在于，后者需要投入数百万美元的资金，错误的代价极其昂贵，而发射只能在某些特定的时刻完成，因此找到最佳的可用时间表就显得尤为重要。

出于这些原因，美国国家航空航天局（NASA）决定打造一个人工智能系统，用它来计算航天飞机发射准备的最佳序列。这也是人工智能的典型应用。此类人工智能主要用于自动规划，而规划过程中所采用的推理方式是"基于约束的推理"（constraint-based reasoning）。从本质上来讲，这就是为一组高度相关联的问题寻找解决方案的任务。

在这一领域（尽管并不是唯一的领域），人工智能取得了引人瞩目的成功。NASA的程序是人工智能以其他方式取得成功的典型例子。这种程序并不简单，实际上也很难打造，它花费了 NASA 将近 200 万美元的经费，历时 3 年才完成。不过随着时间的推移，这一庞大又昂贵的系统已经赚回了当初的投资。据 NASA 估算，它为每次飞行任务节约了 50 万 ~ 100 万美元的成本，主要是因为减少了员工的加班费。由这一系统完成的任务，原则上也能够通过人工手动完成。然而，根据 NASA 的报告，这种人工方法所需的时间至少是机器方法的 10 倍，而且难免会出现错误。如果没有这个人工智能系统，NASA 每年能完成一次发射都要祈祷好运气光顾。

就 NASA 而言，这一程序取得了非凡的成就，而这不过是众多成功案例中的一个。NASA 一直致力于人工智能的研究与应用。人工智能在太空探索中的应用十分广泛，从宇航机器人到能够为宇航员提供建议的系统，到处都能看到它的影子。需要强调的是，这些都不是什么实验性的花哨系统，而是一些可靠、实用的技术的代表，可靠到能够用来制造宇宙飞船。第一个进入航天领域的人工智能程序是 DEVISER，这一规划程序负责控制 1977 年发射的"旅行者 1 号"探测器的操作。这也是目前宇宙中距离地球最遥远的人造物体，因此，人类的技术大使也应该包括人工智能。目前的研究项目包括全自动太空飞船，它也将代表我们去探索深空[1]。

人工智能不仅在航天飞行这样的高科技领域取得了成功，它在商业和金融领域的地位也至关重要。正如航天飞机的案例一样，这些系统往往在幕后默默地工作，不过它们所做的工作也是目前商业领域的关键。人工智能同样成了游戏领域的灵魂，这是一个比电影发展得还要庞大的行业。同时，人工智能也在一些竞技比赛中取得了成功。1997 年，一个人工智能程序在国际象棋比赛中战胜了人类世界冠军。这的确都是惊人的成就，很难想象其他任何一个现代技术能够与之媲美。本章将对这些人工智能成就中的一部分进行详细的介绍。

搜索，一切现实问题的解

如果要在诸多概念中找到一个理解人工智能如何工作的最基础的概念，那么它应该是"搜索"。

在人工智能领域，搜索描述的是一种为某个难题找到解决方案的过程，并非像寻找丢失的车钥匙那样简单（不过人工智能的搜索还是能帮你找到钥匙的，所以值得继续看下去）。这是一套非常通用的技术，几乎在人工智能所有分支领域都能看到它的身影。这些技术之所以是人工智能概念的基础，主要源自计算的性质。

在最基本的层面上，计算机就是一个言听计从的大笨蛋。从技术层面讲，我们说它在执行算法，实际上就是在进行一系列简单有顺序的步骤。你可能会看到，数学计算如何被拆分成能被那些"笨蛋"设备完成的小步骤。实际上，几乎所有的数学计算都能被表达为算法（我们将会在下一章讨论为什么这里用的是"几乎")。对人工智能的探索,往往始于补充一个有趣的真实世界问题(也就是你需要去解决的问题)与一个或一系列计算机能够执行的简单算法集合之间所缺失的片段。而填写这些缺失的步骤最重要也最普遍的方法,就是将真实世界的问题转化为搜索问题。

将普通问题转化为搜索问题的方法是将它分解成三个元素,分别是:起始状态,一系列从一个状态向另一个状态的过渡,以及目标状态。令人有些意外的是,大多数真实世界问题都能够用这三元素进行描述。而我们一旦能够用这三元素来描述一个问题,那么,剩下的任务就是解决由它衍生出的算法问题。也就是说,我们会得到一个能够由计算机完成的、相对简单的操作集合。大体上讲,这个程序会不断走过这些状态之间的过渡,直到找到最终的目标。

就像所有出色的想法一样,人工智能搜索背后的思想也非常简单。不过这种简单并不会掩盖它的高效性,因此更为细致地了解这一过程十分值得。

此刻,也许一个具体的例子会对读者理解这一过程有所帮助。让我们假设你已经因为我对人工智能的狂热而感到愤怒,并决定写信表达自己的不快。你桌上的笔筒里放着4支笔,而你希望找到一支能够写字的。你很有可能会做的是,拿出其中的一支试用，如果不出水，就将它丢在一边。这之后，你很可能会试用另外一支，以此类推，直到找到那支能正常使用的笔。

而用人工智能搜索术语来描述，起始状态则是没有能用的笔，过渡是一支一支地试用，而目标状态是找到一支能够用来写字的笔。而你试用每支笔的搜索策略，同样也具备一些非常有用的特征。特别是，你注意到自己需要丢弃那些无法使用的笔，以此避免反复试用同一支笔。

不要在搜索上浪费精力，这是因为问题的规模非常重要。在刚刚这个例子中，只有4支可供选择的笔，因此试过全部4支也不会花费太长时间。这种方法用人工智能术语来说就是"穷举搜索"（exhaustive search）。然而，如果我把命题中的数字由4改成400，那么要从400支笔中找到唯一一支能用的，你可能就不再希望使用穷举搜索策略了。因为在这种情况下，问题的总大小，用术语来讲就是"搜索空间"（search space），对穷举搜索来说太大了。

同样的过程对于计算机也完全适用。计算机能够快速地执行一个算法中的每一步，但它们仍然有着自己的极限。采用这种策略，很快会出现一种被称为"组合性爆炸"（combinatorial explosion）的问题。就像很多人工智能术语一样，这个词听起来有些言过其实。实际上，它背后的想法很简单，那就是在很多问题中，可能性的数量并不是以一种平滑的线性的方式增长，而是以一种非常快的速率增长。

读懂人工智能
金子与麦粒

阐述这一问题最简单的方式是一个古老的印度传说。相传,印度的舍罕王打算重赏发明国际象棋的大臣西萨·班·达依尔。他原计划赏赐给西萨 64 块金子,每块对应棋盘上的一个方格。这位大臣礼貌地拒绝了这一赏赐,表示自己希望要一些小麦,第一块棋盘格要 1 粒,第二块要 2 粒,第三块 4 粒,每往后一块就翻一倍,以此类推。国王大喜,他为这一要求的"朴实"感到震惊,并且承诺会遵守这一诺言。

实际上,这位大臣只是跟国王玩了一个简单的数学把戏。通过一段简单的计算,你就会发现,这是一个永远无法达成的承诺。因为西萨实际上要了 $2^{64}-1$ 粒,也就是 18 446 744 073 709 551 615 粒小麦。更直观地讲,这相当于以如今的速度耕种 4 个世纪的全球小麦总产量。

即便对具有至高权力的国王来说,这显然也是个不可能兑现的承诺,舍罕王只得放弃。这虽然只是个传说,其中蕴含的道理却十分清楚:永远不要低估指数型增长的力量。如果西萨要求的仅仅是每块棋盘格奖赏 2 块金子,那么国王就可以不费吹灰之力地赏给他 128 块金子。通过逐步加倍,这位大臣利用了数学家们口中的几何级数,提出了一个不可能达成的请求,即便他要的只是麦粒这样廉价的东西。

这就是指数型增长的力量,它会产生一些无法估量的庞大数字,这会让使用简单的计算方法,通过穷举搜索来解决问题的方式变得行不通。就像西萨要的赏赐一样,这些数据会"爆炸",变成最强大的计算机都无法企及的数据量。

然而,这并不意味着人工智能研究者会选择放弃。曾让人工智能不同于其他计算方式的(很大程度上现在仍然如此),便是对启发式方法的引入。"启发"(heuristic)是一种"拇指规则",借助有根据的猜测或线索获得一个问题的解决方案。对很多问题来说,搜索解决方案的数学计算看似不可能,不过真实世界往往不同于纯粹的数学世界。"启发"就是一个将真实世界的元素重新放回问题的方式。在数学世界中,数字之间并没有什么区别,然而在真实世界里,一些规律、线索往往会在我们的搜索过程中带来帮助。

在刚刚的例子中,当你想找到一支能用的笔时,很自然地会随意试用一支。搜索空间中这种随性的选择,在人工智能领域里是非常不明智的。"启发"能够帮助我们在一个较大的搜索空间中找到相对正确的方向。换言之,无论对计算机还是人类来说,一个机智的方法就是考虑真实世界中的一切线索。

想一探究竟?那我们还是回到之前400支笔的例子。你手中有399支没法用的笔,这并不现实,我们不如把这个例子改得更接近真实世界。比如,我在这400支笔中找出了一支,并且在里面藏了一张20英镑或50美元的钞票。而你的任务就是找到它。这时候再去执行类似的穷举搜索就有些不值得了,不过,我们不妨看一看,真实世界会给我们哪些找到钱的蛛丝马迹。单纯就数学而言,400支笔仅仅是一个数字,用人工智能的术语来说就是一个"无特征搜索空间"(featureless search space)。我不知道你会从哪里集齐这400支笔,不过在真实世界中,我身边的办公用品商店会按20支一盒售卖。也就是说,我需要买上20盒。想把钱藏到笔里,我就要拆开其中一个盒子,抽出一支笔,把钱塞进去,然后再把笔放回去。

所以,你完全可以将自己的搜索范围限制到从20个盒子中找到封口被拆开的那个,然后剩下的搜索空间只剩下20支笔,你需要从这里找到看起来像被取出或打开过的笔。相比于穷举搜索,这种方式可能会让你更快地找到钱。

请注意,刚刚这句话中的"可能"非常重要。"启发"并不是能够确保目标实现的方法。我很可能为了迷惑你而打开所有的盒子,而这种情况下,刚刚提到的方法比起穷举搜索法也好不了多少。而如果我把所有的笔都拿出来堆成一堆,那么这样的搜索空间就几乎没有特征了。不过排除这种极端情况,"启发"往往能够在真实世界的搜索中起到正向作用。

最后,让我们对搜索话题进行一下总结:

> 这看起来似乎与人工智能和人类智能都不沾边。从总体上讲,现在人工智能搜索领域开发出的很多技术,

都会被认为是计算和信息技术的一部分。它们是从人工智能剥离出的大批真正有用的衍生品中非常早期的一个。

我们需要记住的是，人工智能需要继续耐心地去发现，计算机根据程序实现的自动化与真实世界中的智能表现之间，所隐藏的那些步骤。

这样的步骤可能不少，搜索当然算得上最常见也最基础的一个。另外一个需要明确的事情是，人工智能并不是简单地将计算机的算力当作一种附加机器。这种指数型的爆炸式增长意味着，单纯增加机器的数量并不会解决更多的问题，因此相比蛮力，我们需要一些智慧。"启发"能够通过对真实世界一些性质的猜测来引导搜索。虽然这仅仅是人工智能故事的开端，但也算是一个非常不错的起点。

想要看看由"启发"引导的搜索是如何让计算机完成智能任务的，让我们回到1997年，旁观国际象棋大师卡斯帕罗夫的落败。

"蓝巨人"的胜利

在人工智能发展的早期，很多人认为，如果能让计算机成功地参与棋类游戏，那就相当于在对人工智能未来的追逐中完成了一个重要目标。而现如今，想在商场中找到一款能够下国际象棋，并且水平还不错的计算机已经变得轻而易举。这让很

人工智能的荣耀时刻

多人不禁认为，训练计算机下棋并非难事，或者认为国际象棋基本属于计算游戏。这些假设都不正确，它们没有公正地去看待人工智能先行者的智慧与坚持，这些专家在计算机游戏领域完成了早期的突破。

实际上，用计算技术来玩国际象棋是非常困难的。首先，国际象棋是上一节提到的搜索空间指数型爆炸式增长的典型案例。通常在国际象棋比赛的中盘阶段，分支因子（branching factor）大约为36。也就是说，你需要从大约36个符合规则的移动中选择一个。因为这些可能性从当前的状态衍生出许多分支，人工智能领域的学者往往称之为"搜索树"（search tree），尽管这是一棵颠倒的树，随着向下深入而不断扩张。对于你的每一步棋，你的对手都有大约36种对策。因此，如果你希望思索自己的下一步该如何落子，那么摆在面前的选择可能多达1 296种。而如果你希望做出更进一步的预测，思考再下一步的布局，那么这个可能性就会增加到1 679 616种。因此，需要考虑的步数会以极快的速率增长，这种增速即便对最强大的计算机来说也是望尘莫及的。

通过计算，我们能够清楚地认识到，即使是最强大的计算机，也无法通过枚举所有的招数来下国际象棋。一场国际象棋比赛开始的时候，会有10^{123}种可能的棋盘位置（也就是1后面有123个0）。这一数字的大小，甚至已经超越了已知的宇宙中电子数量的总和。任何一台计算机都无法举出所有可能的招数并从中做出选择。因此，我们需要更智能的技巧。

单纯靠计算机的计算来用"蛮力"下国际象棋，还会遇到另一个问题，这与游戏本身的性质有关。人工智能领域一位重要的先行者亚瑟·塞缪尔（Arthur Samuel）将这一问题命名为"信用分配问题"（credit-assignment problem）。信用分配问题是指在决定哪些招数是制胜招数时所出现的问题。国际象棋比赛即将结束时会积攒很多的落子，有些是好棋，有些则是臭棋。即使某一程序取得了胜利，我们也难以分辨出究竟哪些招数将它引向了胜利。换句话说，我们没有办法给这些棋着评分。

塞缪尔以一种非常巧妙而有效的方式攻克了这类难题。实际上，当时的塞缪尔想让计算机玩西洋跳棋（checkers），不过他使用的方法在当今仍然是现代国际象棋程序的基础。他引入了一个静态评估函数（static evaluation function）。这是另一种"启发"，它能够让程序基于当时的棋局做出最佳的落子判断。这一理论的基本概念是，程序会对下一步落子后的棋局进行打分，来评价这些结果的好坏。这是一个静态的评估过程，因为过程中并不需要考虑这一步的落子能否制胜，只需要评估这一步从当前的局面来看如何。如果对手的棋子比你的少，这看起来就是相对不错的一步，而如果这一步可能导致自己的子被对手吃掉，那么它就是看起来不太好的招数。

下棋程序需要做的，从本质上来讲，就是在有限的时间内计算静态评估函数，尽可能多地对潜在棋盘位置进行评估打分，然后选择看起来最佳的棋盘位置。当然，由于指数型爆炸式增长的限制，程序能够思考的棋盘位置非常有限，因此这种技术往往也会导致错误。而同样存在漏洞的是静态评估函数本身，就像所有的"启发"一样，它只是做出猜测，而这些猜测可能是错误的。

静态评估函数可以由程序员设置，不过这通常只是个开始。塞缪尔让两个版本的程序展开棋局。其中一个版本采用被随机修改过的静态评估函数，另一个版本则采用最初设定的评估函数。如果这个修改版本获得了胜利，那么在之后的棋局中它将会被采纳，而如果初始的版本获得了胜利，那么这一评估函数也将被留用。现在，包括遗传算法（将会在下一章详述）在内的很多技术，都能够用来完善静态评估函数，不过塞缪尔采用的方法仍然算得上非常高效的一个。

回想自己下国际象棋的过程，你可能会认为上述方式仍然有着太多无用的步骤。在棋局之中，你往往不会去检索所有可能的招数。因为很多招数都是很明显的臭棋。不过，也有人找到了一种能够让程序避免浪费时间思考臭棋的方法。这就是Alpha-Beta剪枝算法（alpha-beta pruning）。这里用到的"剪枝"生动形象，因为这就像一个从搜索树上剪掉那些生产力可能不太高的枝条的过程。

在程序思索可能的棋盘位置时，有两类棋着会被率先抛弃。第一类是那些有着很高的评估分数却难以走到的位置，因为对手通常会抢先占据或控制这些位置。而另一类就是那种灾难性的臭棋。如果在搜索早期就发现了上述两类情况，那么对这些分支的搜索就能迅速结束。比如，通常没有必要考虑在一步臭棋之后延展可能的棋盘位置。我们并不会选择这些烂招，因此，从这一点上延展棋局纯粹是浪费时间。同理，如果我们选择了那些对手一眼就能看穿，并且会努力阻止我们获得的好位置，然后还从这一点上展开之后几步的棋局，那么这基本也算白日做梦了。搜索这些非常明显的好招也是在浪费精力。

不过，即使具备了所有这些智能的人工智能技术，下国际象棋仍然需要大量的计算工作。静态评估函数可能会考虑一个棋盘位置的64种特征（有时甚至会更多）。需要为每一个未来可能的棋盘位置计算出每一种特征。整个静态评估函数都必须被计算，然后将结果传递回搜索树。使用Alpha-Beta剪枝算法能够大幅缩减搜索树的尺寸，但这仅仅是延缓了指数型增长的发生时间，并没有从根本上解决该问题。要让下棋程序预想几步之后的棋局（从而大幅提高胜算），就需要算力非常强大的计算机作为支撑。

另一方面，如果认为这些人工智能技术已经被研究了几十年并且能够被写入计算机，因此下棋（无论是对计算机还是人类来说）并不需要什么智能，那就大错特错了。让我们来解释一下。计算机下棋的过程并不是简简单单去计算制胜招数。因为这种方式在数学演算中就已经行不通了。静态评估函数是一种对下一步棋该采用的策略的猜测,也是计算机在下棋过程中不断优化的猜测。

非常引人注目的是,这些早期的下棋程序专家做出了很多正确的基础工作。1997 年,当超级计算机"深蓝"打败加里·卡斯帕罗夫的时候,深蓝团队在 IBM 公司举行了庆祝活动。IBM 资助了这一研究,其昵称"蓝巨人"也是为了纪念这台机器。对大多数人工智能工作者来说,这不算什么值得庆祝的事情,并不是因为他们没有兴趣或者对此不感冒,而是因为他们早已知道这一天会到来,只是时间早晚的问题。

专家系统,源于知识的力量

在欧洲中世纪宗教剧《世人》(*Everyman*)中,同名英雄被要求参与一段人生的旅途。虽然很多旅伴都让他失望,但是"知识"告诉他,"世人啊,我将与你同在,成为你的向导,在你最需要的时候走到你身边"。读者们可能会感到震惊,正如知识是人生旅途中最有价值也最可靠的旅伴,对计算机来说,它同样有着重要的作用。人工智能最成功的几个分支之一就是"知识系统"(knowledge-based systems)。也许计算机系统享用知识益处的方式并不像"世人"那样明显,然而,实际上也没有看上去那么复杂。

当很多研究人员都将启发和搜索视为通向智能的道路时，另一些人却找到了非常不同的方法。这种新颖的方式主要起源于美国加利福尼亚州的斯坦福大学。这一方法背后的想法简洁又优雅。如果你知道问题的答案，那么也就不需要进行大规模的搜索来寻找可行的解决方案。这个解决方案可能会以一种陈述的形式存储在计算机中，例如"如果这个问题是 P，那么答案是 A"。更正式的是，这些研究人员认为，如果某个智能系统具备极为强大的知识储备，那么它的推理能力可能会相对较弱。它的能力将源于它所获得的最新的关乎真实世界的知识。

当然，这种优雅简洁的方法也需要一些额外的补充，使其能够在实践中工作。如果计算机具备有限的知识量，那么就会有很多类似的陈述。在每种情况下，选择正确的陈述也是一个问题，不过这些问题都已经得到了解决。这种"如果－那么"的陈述被称为"生产式规则"，简单来说就是生产，因为通常规则的概念会使人们产生一些误解。几百个规则的组合被视作"知识库"（knowledge base）。

◎ 程序还将包含一个推理引擎，这部分程序能够在知识库中进行筛选，为当前的情况选择正确的生产规则。当然，这样的系统需要采用某种形式的搜索，也会在可能的时候采用"启发"的方式。

◎ 这类系统中另外一个至关重要的组成部分就是完整地解释出它的推理过程的能力。这并不仅仅是为了展示。因为这类系统的设计旨在对真实世界中的问题给出及时而有用的建议，它们无法做到 100% 的确定性。你可以期待一个便携式计算器能够给你带来确定性，但是别指望执行医疗、工程诊断或给出税务建议的系统也能带来确定性。真实世界的问题往往都会带有一些不确定的元素，而问题越有趣，对这一问题的分析越复杂，不确定性往往也越高。此外，解释机制让系统构造人员能够调整知识储备。通过让系统对它的结论做出解释，工作人员能够看到，需要对知识储备以及推理引擎做出哪些改动。

这种解答程序通常被称为"专家系统"（expert system）。我还是更偏爱之前提到的那个更准确、更不容易导致误解的名字——"知识系统"。不过"专家系统"显然更为吸睛，这类系统的确包含了人类的专业知识。知识库与推理引擎的交互，借鉴了人类专家的知识及推理过程。

很多读者可能觉得这有些夸大其词。人类的知识是一个复杂的事物。它通常是经验的产物，而非纯粹的学习获得。这往往涉及更为精细的判断，而不是盲从规则。有必要重申，我正在描述的这种人工智能系统，实际上包含并正确使用了这类知识。一个知识系统，不仅仅包含一些事实，可以从中进行推断；它还包括判断，这些判断通常可能是不确定的，而这类系统做出的推理也不是纯粹符合逻辑的。典型但并不独一无二的是，一个知识系统能够进行诊断。用推理术语来说，这包括检索一系列症状，然后从这些症状中找到一个对当前症状最合理的解释。这被称为"溯因法"（abduction），它并不是一个纯粹的逻辑性任务。结论没有确定性，即使是走向结论的每一步，也没有确定性。

这类系统在真实世界的情景中也能奏效吗？答案非常肯定，"是的"。20世纪70年代中期开发出的一款先进的知识系统MYCIN，是斯坦福大学计算机学院和医学院的合作成果。MYCIN的知识库是关于血液传染病的诊断与治疗。1979年，官方研究显示，MYCIN的表现几乎能与斯坦福大学的人类专家相媲美。

这一测试涉及过去的10个菌血症和脑膜炎案例。8位专家对这些案例采用的建议疗法进行了评分：可接受为1分，不可接受为0分。满分是80分。结果如表2-1所示。

表2-1　各类建议疗法的专家评分

建议疗法	分数
MYCIN	52
Faculty1	50
Faculty2	48
Infectious diseases fellow	48
Faculty3	46
Faculty4	44
Resident	36

续表

建议疗法	分数
Faculty5	34
Medical student	24

我在这里贴出了全部结果，因为它们比 MYCIN 的优秀表现更能说明问题。最重要的一点是，没有一个分数接近满分。这说明了一个事实：医疗诊断充满了不确定性。出于兴趣，我们了解到这些患者实际接受的治疗得到了 46 分。在真实世界，我们无法期望完美的解决方案。第二点需要注意的是，尽管 MYCIN 的评分最高，但我们只是就这个相对较小的空间讨论。知识系统能够令人印象深刻，但它们不是魔法。医疗专家和医疗专家系统必须处理那些没有单一确定的解决方案的问题。但是，能够将人工智能系统应用到此类困难的真实世界问题上，本身就是一项意义深远的技术成就。

MYCIN 只是一个实验性的专家系统，但它所展示的技术引发了许多实际的、有益的应用。一个成功的商业案例就是美国运通的授权者助手（Authorizer's Assistant）。这个专家系统的名字很重要，表明它是第二代专家系统的范本。也就是说，它最初就是为了协助而非取代人类授权者而设计的。它基于大量与顾客有关的数据提出建议而非指示，包括账户信息、消费模式及个人数据。通过检测多个数据库，它为每个消费者生成了一份信用授权建议。它也能够向授权者提出其他任何应被纳入考虑的与该顾客相关的信息。这种对知识系统的使用帮助人们根据可能存储在多个电子数据库中的数据快速做出决策,这在如今常被使用的知识系统中是很典型的。

机器学习,突破知识获取瓶颈

因为我们已经展示了如何在人工智能系统中捕捉并使用这种知识,你或许会好奇,为什么我们不去制造一个足够大的知识库,以此来解决所有人工智能的问题呢?这个构想无法实现,原因有很多。尽管如此,这也没阻止一些乐观的研究人员继续尝试。

最重要的原因或许令人惊讶,人工智能与人类面临着一个共有的问题。正因为自身的知识量非常有用,所以需要花费时间和金钱去获取知识。在知识系统的例子中,知识通常来自人类专家。现在,专家一般会使用自己的知识,无须用外行人能理解的方式对这些知识进行解释。人类专长通常会涉及基于多年实践经验的隐性判断,这也被人们称为直觉。所有这些必须被显式地编写进系统中。

你或许会想起,是最新的关乎真实世界的知识赋予了知识系统有效性。获取这些知识的唯一有效方式是询问人类专家,通常我们借助对被称为知识工程师的专家的采访来实现。我们必须挖掘出人类专家的经验、判断力和直觉,将其直观地表述出来，以便它们能够以生产规则的形式被放入系统中。这个过程耗时、耗钱。之所以耗时，是因为这个过程通常十分缓慢，合理的进度大约是每天获取 3 个有用的知识单元。MYCIN 耗费了大约 20 人/年才建造出来。之所以耗钱，是因为掌握了有用领域最新知识的专家一般会为自己的时间寻个好价钱。优秀的知识工程师也不会便宜。所以，爱德华·费根鲍姆（Ed Feigenbaum）称其为"知识获取瓶颈"也就不足为奇了。

人们做出了很多尝试来突破这一瓶颈，其中一些是仍然相当活跃的研究领域，我们将在本书后面的部分看到。不少研究推动了一般性计算的发展。其中一个就是"快速原型"（fast-prototyping）理念。为了加速知识获取的过程，在实践中，通常的做法是尽可能早地建立知识系统，随后借助真实世界的例子提炼它的知识库，并且修正专家认为是错误输出的部分。知识系统的实际程序部分（推理引擎）得到精炼，因为现在人们能以不高于一个文字处理器的价钱买到一个"专家系统外壳"，你只需要向里面"添加知识"，就能制造一个有用的系统。

突破知识获取瓶颈最重要的进展之一就是所谓的"知识引导"（knowledge elicitation）领域研究的进步。这一领域研究如何提取知识，通常来源不是人类专家。很明显，可靠、快速地提取知识是知识工程师任务和技术的主要部分，研究针对这点展开。在人工智能领域外，它同样是一个非常有用的过程。这些技术已经使人们更透彻地理解了知识在人类完成任务时所扮演的角色。现代人对知识经济崛起的讨论，大部分要归功于人工智能的发展。

然而，大多数研究都开始转而去寻找让计算机自学的方法。人类专家依赖好的老师，但他们也会从经验中学习。如果程序能够从经验中学习，那么知识获取的瓶颈至少会被削弱。机器学习是这一领域的名称，并且和许多人工智能领域一样，它经历了初期的狂热，以及随之而来的清醒——这是一个十分困难的问题。许多系统被制造出来以对一组例子进行分类或概括。各种所谓"模式识别"的技术催生了另一个有用的、可创造利润的进步，我将在下一节进行介绍。然而，对人类和计算机而言，学习这一行为都没有被很好地理解，模式识别只是困难的冰山一角。正如我们在上一章看到的，人类智能中有许多无法用科学方式解释的元素，学习就是其中之一。知识获取的瓶颈仍然有待突破。

还有其他限制阻止知识系统实现一般目的智能。最重要的是，它们包含的是一个相对狭窄领域的知识，要么只包含太空飞船工程设计知识，要么只包含血液传染病知识，而不是一般的知识、智慧或常识。许多人试图捕获一般目的的知识，但并未成功，而且这种困难激励着许多当代人工智能研究人员，他们使用的技术与知识工程相距十万八千里。后面章节将会继续探讨这个主题。

目前，知识系统仍然十分成功，但也有一定限制：

◎ 它们在一个较窄的领域运转；

◎ 它们缺乏常识；

◎ **最重要的是**，它们需要实质性的投资，因为有用的知识很难获得。

然而，那些已经做出重要承诺的组织，比如NASA，发现它们的有用性远超成本数倍。我们的现代生活依赖这种系统来为医生、护士、工程师、财务顾问、宇航员、科学家和各类专家的所有行为提出建议。知识系统已经渗透到现代生活的方方面面。实际上，这一人工智能领域如此成功，以至于许多人不再将其与人工智能挂钩。他们只是将提出意见视作计算机能完成的另一项工作。我认为这就是一个科学分支所能取得的最大成功。

数据中的钻石

机器学习研究中最重要的进展就是一系列后来被称作"数据挖掘"的人工智能技术。隐藏在这一名字背后的事实是，现代公司拥有大量数据。大多数零售商都使用电子记录，尽可能久地保留店内每一笔交易的记录。患者记录、警方记录、税款记录以及类似的记录都是大量数据的集合，而且目前这些数据几乎都被存储在计算机上。另外,一个参与交易客户名单和邮件列表等信息的庞大行业已经成长起来。决策制定者们并不缺少数据,但问题在于如何从数据中提取到有用的信息。数据挖掘程序就是从大量数据中寻找到"钻石"的程序。

数据挖掘通过大量人工智能技术协同实现。有些技术类似于我们已经看到的基于知识的搜索和模式匹配。数据挖掘同样涉及更倾向生物学的知识,我们将在下一章中看到。用商业术语来说,数据挖掘对设计软件和使用软件的人而言,都是非常成功的。能够从现代商业的大量数据中快速提取有用信息的能力,被证明对于商业成功如此重要,以至于数据挖掘软件能够卖出非常高的价格。从这些方面来看,数据挖掘是人工智能成功的典型。

让我们更加详细地研究这种源自人工智能的技术如何使机器学习。我们已经看到将真实世界知识放入人工智能程序是多么有益,同时也看到了想要获得这样的知识是多么困难。针对这个问题,一种可行的解决方案或许是设计出能够自学的计算机程序。这一人工智能研究领域就是所谓的机器学习,该领域已经吸引了大量的研究。

现在,人们在讨论"机器学习"的时候,很容易将其翻译成人类的术语。毕竟,我们最熟悉自身的学习过程,这是我们倾向于看待这个机器问题的方式。但是,对人类学习的思考并未回答我们很多机器学习的问题。回忆一下，知识系统需要的是一组生产规则的形式："在情况 S 执行动作 A。"机器学习的问题是如何自动生成这样的规则，准确地反映真实世界，而无须人类引导和手动编程。

让一个人工智能程序来做这些工作会存在许多困难的步骤。首先，也是最难的一个，就是让程序识别"情况 S"。让我们假设"情况 S"是一位具备某些症状的患者。（也可以是棋局中的一个布局，逻辑证明中的一个步骤，股票价格的一次波动，或者准备火箭发射时的一个步骤。）我们掌握的是一系列观测结果，一些相关，一些无关，计算机必须根据它们做出判断。我们有必要认识到，这不像演绎或者数学推理。患有同一疾病的不同人群可能会展示出不同的症状。人们可能患有不止一种疾病，一些人可能会表现出症状，但实际上并没有患病。为了判断某人是否真的患有某种疾病，有必要判断出患者出现的症状最有可能由什么导致。这一推理过程的技术术语叫作"溯因法"，它或许是最接近专家意见的概念。

能够使启发式搜索良好运转的工作方式说明，信息中通常存在一些真实世界展现给我们的有待挖掘的模式。识别这些模式是机器学习的关键组成，因为这将使程序通过症状进行概括。实际上，机器学习能够从不同的人工智能分支汲取大量模式匹配技术，以此来丰富自己的技术。事实证明，许多技术尽管非常有效，但有很强的领域依赖性。也就是说，在一个领域奏效的技术，或许无法适用于另一个领域。人工智能重复研究的一个主题是，某个在一类问题中有效的技术，无法跨界到另一类问题中。

因此，机器学习研究中出现的一个事物就是一组非常有效的技术，它们通常能够让一个程序在很多例子中识别出模式。一些研究人员意识到这很有用，而且实际上也很卖座。他们将这些人工智能技术转换成易用的软件包，配备上一个好的用户界面，就能很容易地用来探索大量数据，以寻找模式。优秀的数据挖掘软件不会只使用一种模式识别技术。它会为用户提供6种甚至更多的探索数据的方法，这些方法能够被单独使用或组合使用。

这一发展的结果是一个用于商业和科学的伟大工具。例如，位处英国的一个小型人工智能公司开发的数据挖掘工具Clementine，能够让一家大型跨国洗漱用品制造商减少98%在动物身上测试的时间。科学家掌握的是一长串化学合成物，其中一些在过去被证明具有不良效果。他们并不知道哪些规则或知识可以用来预测一种新合成物安全与否。唯一的方法是在动物身上进行测试。

这就是数据挖掘能够派上用场的情况。用Clementine运行所有合成物，有害的、无害的，以及新的合成物，以此来进行预测——根据所有这些信息呈现出的模式进行猜测，判断新合成物是否有害。只有当 Clementine 判断新合成物安全时，才需要在将其添加到香波或牙膏中之前进行测试。这只是 Clementine 众多成功应用中的一种，警方调查方面的应用也是其中之一。

机器学习或许尚未发现知识获取的解决方案，但它在数据挖掘中的发现同样令人赞叹。在人工智能的成功应用中，这一幕不断上演。就像哥伦布起航寻找通往印度的道路却发现了美洲一样，人工智能研究人员还没有让我们的生活充满机器人管家，但他们却发现了更有用的东西。

下国际象棋只是 IBM RS6000 系列计算机的一个宣传元素，"深蓝"是其中最著名的一个例子。这一系列的其他计算机被部署在不那么受关注，但或许更有用的任务中。这些任务包括研发新的药物治疗法、进行财务分析和预测天气。数据挖掘是一项新技术，我们或许还没有看到它带给人类的全部好处。

真正的人工智能产品，例如数据挖掘，不会像直接模仿人类的人工智能版本一样吸引那么多媒体关注。与人类模仿研究不同，这些产品拥有巨大的实践价值。正如 NASA 对人工智能的使用一样，它们通常是安静的、幕后的机器，但是，聚光灯外，它们已经变得与我们今天的生活密不可分。

章后总结

1. 如果要在诸多概念中找到一个理解人工智能如何工作的最基础的概念,那么它应该是"搜索"。

2. 将普通问题转化为搜索问题的方法是将它分解成三个元素,分别是:起始状态,一系列从一个状态向另一个状态的过渡,以及目标状态。

3. 人类的知识是一个复杂的事物。它通常是经验的产物,而非纯粹的学习获得。这往往涉及更为精细的判断,而不是盲从规则。

4. 人类智能中有许多无法用科学方式解释的元素,学习就是其中之一。知识获取的瓶颈仍然有待突破。

5. 决策制定者们并不缺少数据,但问题在于如何从数据中提取到有用的信息。

● **拓展阅读**

- NASA 对各种人工智能研究有大量承诺。许多目前的人工智能项目细节可以参考网址：http://www-aig.jpl.nasa.gov。

- 关于搜索如何作为人工智能技术而奏效的更多细节，可以参考克里斯托弗·詹姆斯·索顿（Christopher James Thorton）和本尼迪克特·布莱（Benedict Boulay）的《借助搜索的人工智能》(*Artificial Intelligence through Search*)（1992 年）。

- 彼得·杰克逊（Peter Jackson）的《专家系统介绍》(*Introduction to Expert Systems*)（1990 年）对知识系统技术进行了不错的一般性介绍。

- 大多数人工智能书籍都包括了"下国际象棋"和塞缪尔的研究。我最偏爱的著作是乔治·卢格（George F. Luger）和威廉·斯塔布菲尔德（William A. Stubblefield）的《复杂问题解决的人工智能结构和策略》(*Artificial Intelligence Structures and Strategies for Complex Problem Solving*)（1993 年）。

- 关于 Clementine 数据挖掘程序诸多成就的细节，可以参考网址：http://www.spss.com/spssbi/clementine/。

生物学，人工智能的灵感源

A
BEGINNER'S
GUIDE

生物学也能从人工智能研究中汲取灵感？

猴子能打出"我想，它像一只黄鼠狼"吗？

制造人工智能是不是有生物学捷径？

3
生物学，人工智能的灵感源

尽管上一章中介绍的方法已经取得了一些傲人的成绩，但一直以来，人们都很清楚，大多数此类人工智能系统都与自然界中的可比系统相去甚远。纵览人工智能发展史，已经有很多希望在生物学基础上寻找智能的灵感的不同尝试。这些对"生命孕育智能"方式的探索也取得了上一章中介绍的方法那样骄人的成果，但它们本质上截然不同。在本章，我们将探索人工智能和生物学之间令人着迷的、多产的关系。

这种关系是一条双向路：生物学同样会从人工智能研究中汲取灵感，获得知识。因此，本章也将试图厘清，人工智能如何让生物学家使用新颖的、令人兴奋的方式去探索他们的研究领域。

有必要提醒读者的是，整个人工智能领域的术语很多，受到生物学启发的人工智能一般不会选择我们已经见到的搜索和知识领域的术语。相反，它"无耻地"掠夺了听起来与自然世界更紧密相关的生物学术语。更糟糕的是，有一些听起来像生物学名称的概念，其实与我们已经见过的概念完全一致，只不过使用了不同的术语来描述。

来自大脑的灵感

灵感1，构建人工神经网络

人工神经网络本质上是一种计算机程序，它受到了人脑和类似的动物大脑工作方式的直接启发。对待这个概念，我们有必要"知其所以然"。说人工神经网络"像大脑"不够准确，尽管从表面上来看，它们更像大脑，而非普通的计算机程序。

◎ 首先，虽然在过去15年间，神经科学领域取得了巨大的进步，但我们依旧无法彻底理解，单个神经元（大脑细胞）是如何工作的。对我们来说，搞清人类和动物大脑中的大量神经元如何支持各种类型的思考甚至难上加难。

◎ 其次，人工神经网络和大脑之间存在诸多不同。其中最为重要的不同是，大脑浸泡在一些复杂的、不断变化的化学混合物中，这些化学物质在不断地影响神经元的活动。这也是我为什么在第一句就说它受到我们已知东西的启发。继续深入挖掘，我认为有必要提醒读者，"训练"和"学习"这样的字眼不应当被视作"以人类为中心的"

活动。这些术语被广泛地应用在这一领域，而且，认为它们的意思与应用在人类学习时的意思完全相同也是错误的。

灵感 2，计算机用指令处理信息

为了理解"为什么人工智能研究人员应该从大脑中寻求更多的直接灵感"，我们有必要稍微深入地分析大脑和计算机之间的区别。现代计算机基本上只是数字电子设备。"数字"（digital）这个词不像其字面意思那样需要掰着手指数数，但它们代表了作为数字的信息。实际上，被使用的数字只有 1 和 0（计算机只有一根手指），但在实际应用中，这已足矣。所有数字都可以用一长串的 1 和 0 表示，我们能够度量的所有东西都可以用它们来表示。

为了更清楚地理解这点，让我们思考一下音乐的数字化存储模式。音乐是一系列升调、降调、节奏和各种音效构成的复杂模式。然而，如果我们每秒钟能多次精确测量到音乐信号，那么这一完整的复杂模式就可以借助一连串数字 1 和 0 来表示。将这个序列转换到 CD 上，放在播放器里，音乐原本的完整复杂性就能得到复制。CD 播放器从光盘上读取了被存储的 1 和 0 的模式，作为完整的指令集，使 CD 播放器能够重现音乐。

现代计算机程序就像存入 CD 的音乐，它们是一个代表指令的 1 和 0 的字符串，这些指令准确地告诉计算机应该做些什么。正如音乐一样，将这种东西转换为更有趣的东西是一个冗长乏味的过程，但令人幸运的是，这个困难的工作已经有人完成了。例如，我正在使用的文字处理器可以将数值赋予每个按键，同时检查不同寄存器中的数字（类似于代表这一序列中已经存储了多少字符的数字）。通常，它会发送另一个数字给计算机的另一部分，这部分的功能是处理显示屏上的内容，从而使其能够在屏幕上的正确位置显示该字符。这一方式能够良好运转的主要原因之一是电子元件的运转速度非常快，整个过程可以在一瞬间完成。

一台数字计算机的全部工作也包含了这种类型的 1 和 0。它以"是或否"开关的形式来表示。数据先被转换为用 1 和 0 表示的字符串，然后被存储在成千上万个开关的集合中，这些开关非开即关（如今的开关实际上非常小）。这一过程被一个名为 CPU 的设备处理，这个设备要完成的工作就是检查 1 和 0 的字符串，设置各种其他开关的状态。当计算结束时，用 1 和 0 代表的输出字符串又被转换成更加有趣的东西，比如屏幕上的文字、图片或扬声器中的音乐。再者，因为操作的每一步都要轮流交由 CPU 处理，所以整个计算过程必须非常迅速。当我们说一台现代计算机拥有 2GHz 的处理器时，就意味着这个 CPU 的时钟速度为每秒 20 亿次操作。换句话说，如果 CPU 每秒钟执行一个操作（就像落地式大摆钟的一次嘀嗒），我们将需要 63 年时间来完成它实际在 1 秒钟内完成的工作。更通俗的说法是：数字计算机运行方式的愚蠢得到了它们巨大算力的补偿。

3
生物学，人工智能的灵感源

灵感 3，处理信息更像大脑

长久以来，甚至在人工智能的全部历史中，我们都知道大脑一点儿也不像计算机。

◎ 首先，一个神经元更像一个独立的加法机，而非简单的开关。每个神经元都与其他神经元建立了大量联系（数量约在 5 000 ~ 20 000 之间）。每个神经元可能的运作方式大致如此：它将所有连接上的活动总量求和，当这个数量超过某个阈值时，神经元将会产生一个输出信号（激发）。对许多其他连接中的神经元而言，这个输出信号本身又是输入，再次构成了输入事件的一部分。这些输入事件轮流求和，可能会导致它们轮流激发（如果超过了阈值）。

◎ 其次，大脑中没有 CPU 的等价物。相比轮流检查每个 1 和 0，它们高度互联的本质意味着，存在神经元激发的持续旋转模式，这影响到了与它们相连接的神经元。因此，实际从这个物理层面上讲，真正在你大脑中发生的是一连串复杂的（实际上非常非常复杂）神经元激发模式。我们有必要注意到，人类大脑拥有 1 000 亿个神经元。它们中大多数与其他数千个神经元相连接。人工智能拥有的复杂性远小于这个数字，对二者进行比较为时尚早。

人们早期尝试制造更像大脑的计算机，其中就包括一台名为"感知器"(perceptron)的设备。感知器是一种类似于图 3-1 给出的神经元草图的电子设备。

从技术层面来讲,它是一台阈值开关设备,有一些会进行相加的输入线,以及一个阈值。如果求和的结果超过了阈值,感知器就会激发(输出 1);如果低于阈值,那么它就不会激发(输出 0)。一个感知器相对容易编程("训练"这个词通常在这个领域使用)。每个输入线被赋予一个权重。思考这些最好的方法就是在每个输入上进行容量控制。如果感知器在我们不需要的时候激发,活跃输入的权重就会被降低(容量控制调低),直到它在我们感兴趣的输入模式上激发。另一方面,如果它没有在我们希望激发的时候激发,就应该调高活跃输入的容量控制(提高输入权重),直到正确激发。这也就是说,它只对我们希望它回应的特定类型的输入做出响应。

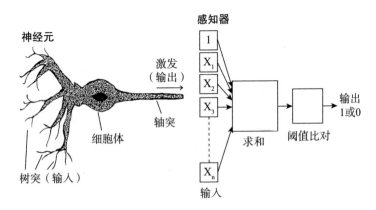

图 3-1 神经元与感知器

不幸的是，尽管单一的感知器容易训练，但是它作为一台计算机并不是十分有效。1969年，人工智能之父马文·明斯基（Marvin Minsky）❶和西蒙·派珀特（Seymour Papert）对此进行了有力的说明，结果导致人工智能界的研究兴趣脱离这一领域10余年。20世纪80年代中期，研究再次兴起，研究人员设计方法来训练感知器和类似设备的大型网络。

当存在不止一个感知器时，上面提到的使用权重设置方法的问题与单一感知器的情况不同，我们并不知道哪种连接需要调整。所有感知器都互相连接，互相影响，因此没有一种找出应该调整哪些权重的简单方法。

这种问题最重要的解决方法是所谓的"反向传播算法"（back-propagation algorithm）。为了理解这个算法如何工作，我们必须考虑一个拥有三层阈值开关设备的神经网络（见图3-2）。一层是输入层，还有一层是隐藏层，之后是一层输出层。隐藏层中的每个阈值开关设备，也就是节点，都与输入层的各个节点相连接。输出层的每个节点都与隐藏层的各个节点相连接。这种网络的技术术语是"前馈多层神经网络"（feedforward multi-layer neural network）。

这种类型的网络可以通过输入节点，经由隐藏节点，向输出节点传递信号来进行训练。就像单一感知器一样，训练就是

---

❶ 马文·明斯基是"人工智能之父"，1969年度图灵奖获得者。其著作《情感机器》（浙江人民出版社）已由湛庐文化策划出版。——编者注

获得我们希望从这些输出节点得到的输出。我们希望获得的和实际得到的结果之间的差异,被表示为输出节点中的错误。这些错误通过网络进行反向传播,以便各种活跃权重能够得到调整。现在,我们正在处理大量容量控制,这些容量控制以一种复杂方式与其他容量控制进行交互。在数次向前、向后传递后,权重逐渐得到调整,整个网络或多或少能够按照既定的方式运行。这种反向传播算法是训练人工神经网络的一种有效但缓慢的方法。

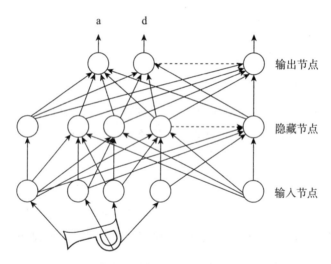

图 3-2 神经网络的工作原理

请不要假设这种描述精确地覆盖了全部人工神经网络。人工智能使用了大量不同类型的网络。通过将不同程度的随机性纳入操作中,许多网络都增加了原理的复杂性。这具有实际意义,例如,预防网络移动过快、变为即时解决方案,并帮助它成为更加一般性的解决方案。还有一些网络通过使用"是或否"开关,而不是阈值开关设备,略微简化了这一问题。这并不代表对传统计算的回归。它代表了一种决策,单独依赖网络的高度互联本质,来产生有趣行为。

虽然不同类型的网络在许多细节上并不相同,并且各自具备优势和劣势,但操作的基本原则都是如上所述的那样。这一领域的研究无疑正在进步,新类型的网络仍然有待探索。正如第 1 章所提出的,探索人工神经网络性质的最佳方法就是建造它们,并且尝试用它们来解决一系列问题。

然而,最后有一点需要补充。几乎所有的人工神经网络都在传统的数字计算机上进行模拟。这点可能看起来有些不合常理、令人疑惑,特别是它们代表了对一种事实的认可:

> 大脑与计算机非常不同。我们有必要记住,在这种情况下,计算机只是充当了实验室。正如我们在本章开头部分提到的,数字计算机的速度和灵活性,使其能够被用来制造和探索与此类似的理念。有必要记住,这些被代表和被实验的东西本身不必是可计算的。

如今,气象学家依赖于天气系统的大型复杂模拟来生成天气预报。按我们的常规理解,天气系统当然不是可计算的。实际上，它们与大脑有许多相通之处。正如大脑中存在不断变换状态的神经元激发，大气层就像是充满了不断变换的气温和压力模式的"海洋"。预测这些大气模式非常困难，然而，计算模型能够产生巨大的帮助。

我们可以认为人工神经网络研究与此类似。所有计算机完成的工作都是提供实验平台，或者说一个丰富的模拟，使类似天气的东西的某些性质被充足的精确性捕捉到，并用于生成天气预报。

然而，在介绍了这种相似性后，我们还需要理解它的局限。要将人工神经网络称作大脑的模拟还为时尚早。甚至与最简单的动物大脑相比，它们都是小规模的、粗糙的、一维的。例如，到目前为止，我们所讨论的神经元更像一个独立的加法机。实际上，一个神经元也许更像一台独立的计算机，在激发功能之间存在的时间间隔代表计算机进行了一次内存。在使用这些或其他方法准确地思考模拟它们前，我们需要在生物神经元方面进行更多的研究。

继续将人工神经网络和人类大脑进行比较没有什么实际意义。人类大脑被称作宇宙中最复杂的东西。一个人类大脑可能的配置数量，远远超过了全宇宙的原子总数。预测几天后的天气情况固然非常困难，但使用任何可预见的技术都无法对下一秒人脑内的模式进行预测。

人工神经网络，更精确的识别

理解神经网络的理念是一回事，理解这样的东西如何像某种类型的计算机一样工作又是另一回事。或许，这里最重要的比喻来自物理学。人们能够将这个网络想象成构成一张桌子表面的东西，这张桌子被学习过程变出了一些坑。一个放在桌子上某处的球，能够从自己的起点滚入最近的坑里，技术术语叫relax。换言之，整个网络有一些状态，在这些状态里，网络是稳定的。当获得新输入时，它会移动到最近的稳定状态。当所有这些运转正常的时候，这类网络将会作为一种分类机制运转。它将被训练来区分一些原型案例。当输入一个新例子时，它会relax入代表最接近这个新例子原型的状态。这种分类过程是神经网络的主要应用之一。

一个能够很好地说明这点的例子是手写字符的识别。当今，为方便计算机读取，几乎所有商品都贴着条形码。实际上，它们只是另外一种形式的数字信号，用粗线和细线代表一系列数字，在一些情况下还会代表字母。（我们无法描述得更加具体，正如在现代计算中，有许多不同的无法兼容的条形码习惯一样。）

现在，人们一般不会用手写条形码，即便能够做到，他们也不会使用这种典型的机械方法。人们书写的文字并不是那么精确和可预测。尽管如此，人们使用手写字符进行交流已有好几个世纪。学会识别一个字符后，比如拉丁字母表里的一个字母，我们就能够轻松识别出每个字母的轻微变形体。我们当然不需要手写字母与我们看到的第一个例子完全一致。不久后，我们就能够识别出严重变形的字母。很明显，会有这样一种问题：某个字母严重变形，以致我们无法确定它是一个"a"还是"d"，从这点来看，我们在读取手写字符时遇到了一点问题。

计算机并不善于此道。它们通常需要清晰、一致的输入，因此需要使用条形码。如果想要采用传统计算方法，让计算机读取手写字符，我们就必须将每个字母定型为一个网格上的一组点。程序就必须计算，一个被扫描出的字母与这些点定义的理想字母相差多少。误差将允许尺寸和位置上的变形。程序必须进行冗长复杂的计算，以覆盖这个字母所有可能被观察的角度。甚至在这个过程之后，当被扫描的字符更像一个"a"而非"d"的时候，程序也需要显式定义的具体规则，对其他不同可能性亦是如此。这个过程冗长而困难。事实证明，这种方法并不奏效。识别手写字符变形的任务量对这类精确方法而言太过庞大。这就是为什么有条形码存在，为什么计算机可读的数字必须被打印成固定格式。

如果我们想让计算机读取手写字符之类可变的不精确事物，神经网络似乎是最直接的方法。例如，我们能够训练一个神经网络来识别26个小写形式的拉丁字母。这个训练过程将包括呈现一些典型或普通的26个手写字符作为输入，调整权重（容量控制），直到我们得到正确的输出。因为我们想用这种网络来区分字母，一个好的设计将是 26 个只会激发一次的输出。训练过程结束后，它将拥有 26 个稳定状态。当它作为一个新字符呈现时，如果一切正常运转，它将 relax 入与新输入最接近的原型字符的状态。在这里运行的分类规则中，我们无须辨识分类细节，也就是说不需要了解如何区分一个更像 "a" 而不是 "d" 的字符。在某种意义上，这种分类规则存在于网络中，但并非显式意义上存在的规则。我们不会细究正在运行的神经网络或计算机，去提炼出区分 "a" 和 "d" 的规则。我们知道的只是这个程序善于完成这项工作。出于这个原因，这种人工智能方法有时被称作"次级符号"（sub-symbolic）。

无监督学习

正如前面介绍的，训练一个人工神经网络来识别手写字符的例子从技术层面来讲就是所谓的有监督学习。有监督学习覆盖了这些情况：我们提前知晓希望网络学习的特定类型，训练过程包括匹配网络的表现来识别那些模式。到目前为止，我所使用的例子只向网络呈现了一种原型，或者通常只有一组原型。其实，还存在另一种用途更多、更令人兴奋的神经网络。从技术层面来讲，这就是所谓的无监督学习，它覆盖了那些我们不知道模式的案例，或者也许存在一种模式，网络的任务就是去寻找它。

这看上去是一种对复杂计算技术相当晦涩的使用，但实际上，这是一个有诸多有益应用的领域。我们在上一章中介绍过的数据挖掘就是无监督学习应用的一种。数据挖掘包将为用户提供至少一种，通常是很多种类型的神经网络。如果一个大型的、无结构的数据库被传入神经网络，那么它可能是被检测到的数据模式或数据簇。

这种人工智能方法具有一些非常有趣的特征：

◎ 首先，一个事实是，它为混乱、困难的事物提供了一种准确定义的分类方法（前提是能够进行定义）。事实证明，真实世界中存在很多这样的混乱事物。至少，人类语音就是一种像人类手写字符一样不精确的东西。通过眼睛或摄像机去识别和解释视觉世界可能与区分手写字符存在许多相同之处。即便能够实现，提供任何复杂且快速的规则，让计算机对视觉输入做出响应也会非常困难，例如区分一张脸庞和一个花盆。

◎ 其次，因为神经网络执行的这种分类并不依赖于严格的规则，当事物变得困难时，它会变得更加可靠。多年来，人工智能研究人员在自己的系统中找到了一种名为"优雅降级"（graceful degradation）的性质。隐藏在这一性质背后的理念是，大多数传统计算机程序要么能够完美地运转，要么无法运转。正如大多数读者经历挫折时一样，当计算机程序遇到问题时，它们倾向于突然停止运转或者彻底陷入混乱。在这些情况下，计算机编程人员会说程序已经"崩溃了"。这是一个准确的比喻，就好像一堆东西摞得过高并且已经摇摇欲坠，一旦失去平衡，就会坠落地面，变为毫无意义的一堆杂物。这个描述非常接近现实。

这种突然崩溃的倾向在动物大脑中并不常见。人类和其他动物无疑会产生困扰或得出完全错误的结论。然而，他们不会像计算机程序一样突然崩溃。甚至在最具挑战、最令人困扰的情况下，他们通常也会尝试做一些事情。开发表现得更像大脑的程序是人工智能研究的主要范畴。这就是优雅降级的意义所在。众多人工智能方法中，神经网络是最有希望制造出可以优雅降级的计算机的方法之一。这种方法不仅在技术层面上具有意义，而且对我们理解动物大脑可能的运作方式也有重要的启示。

因为在存储任何信息片段的时候，整个神经网络都参与其中，它会以某些有趣的方式对损伤或退化做出响应。例如，我们要训练一个网络，以前面介绍过的方式粗略地识别字母表，最终，我们或许能够在识别手写字符时获得可靠的性能。如果我们移除这一网络的几个节点，它将不会像传统计算机程序一样完全失败。它也无法识别出 26 个字母中的大部分。相反，它的表现可能会以一种非常不同的方式退化。这个网络或许仍能识别全部 26 个字母，但是可靠性略微降低。或许，它做出正确分类的准确率会从 99% 下降到 80%。这不仅是优雅降级的一个例子，它与人类或动物大脑的退化表现也非常类似。（通常，人们会对喝醉酒的人进行这种不太正式的实验。）

一些研究人员已经得到了与人类大脑退化方式类似的结果。人工神经网络能够以非常像人类神经系统损伤和疾病的方式退化，它们正在成为人类大脑科学和医学领域公认的研究工具。

人工神经网络是智能的关键吗

如果神经网络非常强大，非常有趣，并且与人类智能如此相似，你可能会好奇，为什么解决所有人工智能问题的方法不是制造出一个庞大的人工神经网络。不幸的是，正如许多其他人工智能方法一样，当我们尝试将其发扬光大或者概括出一条可行的轨迹时，事情就被证明相当困难。仅通过制造一个大型神经网络来制造智能的理念存在很多问题。我们在上一节思考过的成功案例，或多或少都是特定问题的特定解决方案。如果我们试图超越这点，事情就会变得困难。

因为训练一个网络来执行多种不同任务是很困难的。在理想情况下，我们可以训练一个规模相对较小的网络，来处理相对较小的、（更重要的是）定义明确的问题。我们到目前为止所考虑的网络本质上都是单一的、有迹可循的问题。如果继续深入挖掘，训练操作就会变得更加无法预测、更加困难。在大多数情况下，这当然不是"今天是字母表，明天是世界"这么简单的问题。颇具讽刺意味的是，或许我们目前只能训练人工神经网络来处理相对定义明确、规模可控的问题。（当然，我们一直在训练人类自身的神经网络方面更加成功）。我们尚未搞清楚，如何训练一个人工神经网络去处理"世界"或真正开放的问题集合。

现在，一些读者可能会觉得，这种不可预测性不是问题。毕竟，我们正在讨论的是训练而非编程，而且，我们希望神经网络表现得更像大脑而非计算机。考虑到神经网络在无监督学习中的用途，我们似乎真的无须担心这类问题的规模以及训练过程的可预测性。这并非问题关键所在。我们确实需要一个可处理的、定义明确的问题，以使训练过程奏效。一个著名的人工智能都市神话或许能帮助我们更清晰地理解这点。

读懂人工智能

有坦克，还是没有坦克

一个研究团队正在训练一个神经网络来识别包含坦克的图片。（我会让你自己去猜为什么是坦克而不是茶杯。）为了做到这点，他们给它展示了两个图片训练集。一个训练集的图片中至少包含一辆坦克，另一个不包含坦克。这个网络必须被训练来区分两组图片。最终,在全部内容经过反向传播填满网络后,这一网络能够正确给出结果:图片中有坦克时,它给出"坦克"的结论,图片中没有坦克时,它给出"没有坦克"的结论。即便一个沙丘后面只露出了一点点炮头,它也会说"坦克"。当研究人员呈现出一张图片,图片中坦克完全被挡在沙丘后面,看不到任何部分时,程序还是会说"坦克"。

现如今,当一切在真实世界中发生,研究实验室倾向于按年龄"划分阵营"。年轻人会说:"太棒了!我们有希望拿诺贝尔奖了!"老一代会说:"有什么地方错了。"不幸的是,姜通常是老的辣。

实际情况是这样:包含坦克的照片是早晨拍摄的,当时军队正在附近驾驶坦克。午饭后,摄影师回来,从空地的同一角度拍摄了照片。因此,神经网络识别出能够使它区分两组照片的一个最可靠的特征,即阴影的角度。"上午 = 坦克,下午 = 没有坦克"。这绝对是区分训练集中两类图片的一个最有效的方法。无疑,它不是一个能够识别出坦克的程序。神经网络的巨大优势是,它们能够找出自己的分类标准。然而所面临的大问题是这个分类标准或许不是你想要的那个。

规模问题也不容忽视。人类的脑容量很大,拥有 1 000 亿~2 000 亿个神经元,神经网络不可能变得那么大。甚至仅仅达到这种规模的千分之一,都超出了目前这一领域的最高水平。它需要非常强大的计算机,并且简化假设,以接近最简单的生物大脑中的神经元数量。人工智能领域最青睐的对象是加利福尼亚海蜗牛(Aplysia californica),这种海蜗牛拥有大约2万~4万个神经元。实际上,在人工智能领域,这仍然是一个非常庞大的神经网络。

困难重重的不光是制造这样庞大的神经网络。训练庞大的神经网络的问题,不会单纯随着规模成比例增加。前面介绍过的反向传播算法在训练中非常有效,但是速度缓慢。节点越多,相互连接越多,这一过程就会变得越慢。这些困难反过来会影响选取训练集时可控、可预测问题的需求。

一个甚至更加困难的规模问题是,需要将神经网络的规模与它被训练执行的任务规模相匹配。虽然这一问题并不像说起来那么简单,但它很容易理解。如果我们训练一个神经网络去识别10个输入,而且这个网络拥有10个隐藏节点,那么每个隐藏节点就会像数字计算机中的传统内存一样运转。输入中没有噪声或改变,那么可能出现的就是某些类似传统计算的东西。神经网络只会变成一个查询表,不会做任何概括。简而言之,它会表现得或多或少像一个数字计算机中的传统程序,并且不会拥有上一节中介绍的任何有趣的性质。同样地,无法保证这个神经网络将会应用分布式方法来表达自身。这一问题对受训于一个非常简单的问题的巨型网络而言,甚至更加严重。

这些不同的规模问题，尚未被证明是可以解决的。关于这些问题和相关问题的研究仍在继续，但是，目前来看，它们有效地阻止了人工神经网络最初所获成功的继续发酵。来自大脑的启发或许说明了，相比一个巨大的神经网络，一些较小的网络可能也是适合的。例如，目前的神经生理学知识提出，人类大脑包含了约 100 个不同但相互作用的网络。

神经网络让我们瞥见了局部生物智能如何运转，但还有更多有待探索的地方。这诱人的一瞥没有在神经科学和生物学中迷失。人工神经网络是一个伟大的建模工具，在接下来的几十年里，很可能会产生一些关于活体大脑如何运转的有趣理论。再一次，颇具讽刺意味的是，人工智能在实现某些它宣称的目标时并没有那么成功，却成功地推动了其他科学领域的发展。最后一章将会详细介绍这点。

遗传算法，从进化中学习

进化计算是一个需要基本进化原则，并以计算机程序的模式进行应用的人工智能领域。并不需要程序员将一个解决方案编写到程序中，程序便能够进化出解决方案，正如字面意思所示。为了理解这一点如何奏效，让我们稍微详细地研究一下所谓的进化基本原则。

现代基因生物学已经证明，进化只会通过基因的选择和重组来实现。这些基因类似于计算机代码，它们代表了某种生物本质的必要信息。繁殖，特别是有性繁殖，促成了优势基因的组合。在科学文献中，对进化的描述差强人意。然而，我能够确定，我的祖先以及那些我透过我家窗户看到的松鼠、树木和小草能活得足够久来繁殖他们自己。我们所有人的基因构造都应该感谢那些祖先。

正确类型的计算机程序能够有效地模拟这个过程。计算机代码能够代表这些基因。正如我们将要看见的，选择和繁殖过程也能在计算机中模拟。讨论"程序进化出问题的解决方案"并不是天方夜谭，因为这正是它们所做的事情。但是，我们现在应该回忆起本章开头的术语，因为所有这些计算概念使用的都是非常生物学的名称。

遗传算法（genetic algorithm，简称 GA）是我们将在这里详细探讨的一种进化计算的形式。一个 GA 与生物学进化非常相似。将任何问题转变为可以由 GA 处理的问题，其中不可或缺的一部分就是所谓的适应性函数。如果我们能够描述一个问题，衡量某个解决方案的优越性，理论上就有可能进化出一种该问题的解决方案。实际上，这是我们在上一章看到的另外一种"启发法"。程序员能够使用这种或几种问题特征来引导进化过程。在计算方面，这只是一种允许我们为所有可能的解决方案评分排序的方法。如果排序是可行的，那么至少在理论上，GA 能够进化出问题的解决方案。

计算机所做的是为问题（已知的人口）设置一些候选解决方案。在这个最初阶段，它们都是完全随机的。（为了让数学计算更简单，我们假设人口规模为100。）适应性函数可以为这100个候选方案评分排序。即便它们是完全随机生成的，也有可能从1到100对它们排序。当然，或许排名第一位的解决方案看起来根本不像是解决方案。

现在，这一程序会遵循自然选择，去掉排名垫底的，比方说50个成员。受到生物学繁殖的启发，这些方案会在类似的过程中被替换。排名前50位的成员在所谓的"交叉"（crossover）中组合。这是生物学繁殖的计算等价物。随着人口再次达到100，借助适应性函数的选择过程再次执行。随后，重复交叉过程，如此往复数次。最终，这个程序会向这一问题的一种可接受方案聚集——总要假设至少存在一个解决方案，适应性函数能够引导选择过程向着目标进发。很难说需要进化多少代，这完全取决于问题的规模和本质，但是，对于相对简单的问题，可能只需要几百次重复即可，演示见图3-3。

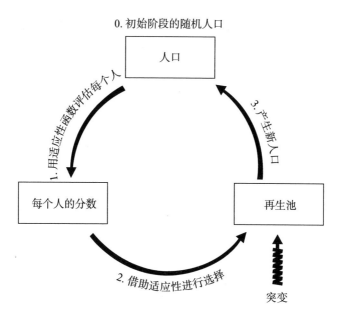

图 3-3　遗传算法的步骤

读懂人工智能

"我想,它像一只黄鼠狼。"

挑剔的读者可能会觉得,GA 与进化没有什么关系,它主要依赖于计算机能够快速运算的能力。正如搜索、下国际象棋和专家知识一样,情况当然并非如此。这其中涉及的东西可不只是数据处理。本节将给出一个详细的例子来进行说明。

据说,足够数量的猴子坐在足够多的打字机前,最终会打出莎士比亚的全部著作。我担心这里包括的数量太大,已经超出了我的计算能力,因此,我只会研究一个较短的表达:"methinks it is like a weasel"(我想,它像一只黄鼠狼)。我们能够精确地计算出,生成这句话需要多少次随机敲击。这句话中有 28 个符号(包括空格),如果我们假设只有小写字母,就需要从 27 种字符中进行选择(包括空格)。如果猴子或计算机只是随机敲击键盘,那么,出现这句话的概率是 $(\frac{1}{27})^{28}$,近似于 $\frac{1}{10^{40}}$。实际上,发生这种情况的可能性非常小,我们能够假设这一情况永远不会发生。然而,对一个 GA 来说,它有可能缩短特异性,在几秒钟内通过自然选择制造出这句话。

我们如何编写程序来进化出这句话呢?好吧,GA 将从一个随机位置开始,正如我们已经看到的,这个起点成为正确短语的概率微乎其微,基本可以忽略不计。然而,我们将增加适应性函数。对这个任务来说,一个合适的适应性函数应该能够累加每个字母与目标字母接近度的数字。请记住,一个适应性函数必须能够让计算机按照从完全随机到正确的顺序,排列所有候选句。如果计算机能够计算每个字母与该位置的目标字母的距离,并且累加,那么,拥有最小得分的语句就是最好的(或最没用的)。

这个程序进一步模拟了进化。让我们假设短语的人口规模是 100。程序根据适应性函数进行排序,舍去排名后 50 位的短语。排名前 50 位的能够在模拟繁殖的过程中被重新组合。在这种情况下,很容易拿到排名前 50 位的任意组合,在某一点（比方说第 14 个字符）将它们进行切分，之后，将这个短语的前一半与另外一个短语的后一半组合（反之亦然）。这样我们就拥有了两个新的短语（或后代），当这个过程完成时，我们将重新拥有 100 个人口。大多数 GA 只增加少量的随机改变，防止事物变为单纯的局部解决方案。在这种情况下，每一代随机改变一个字母就已经足够了。重复这个过程，就会稳步向正确的句子靠拢。

如果你认为 GA 只是另外一种搜索程序（我们在第 2 章中看到的那种），但给出了一大堆听上去像生物学的名字，那么，恭喜你说对了。GA 是非常强大的搜索程序，因为它们并行考虑了一些候选方案，而且不会忽略局部解决方案。

很明显，模拟进化的能力是生物学中一个非常强大的研究工具。它使生物学家能够回答万物如何改变，人口如何改变，它们在未来又将如何改变。

相比于难懂的理论创新，事实证明，进化计算在工程和商业应用中非常有用。GA 最强大的特征之一就是始于随机之中。这意味着，它们能够进化出真正新颖的解决方案，而人类工程师不可避免地会研究之前的成果。它们带来的另一个好处在于，进化后的解决方案一般都很稳健。这也就是说，它们一直在钻研一个问题，因此通常不会像手工设计过程制造出的东西那样脆弱。当 GA 发现了一个工程问题的解决方案时，它通常会继续前进。

人们已经成功应用 GA 的领域包括飞机机翼的设计、新金融服务的设计以及电子电路的设计。GA通常也是数据挖掘和上一章提到的模拟识别应用的一个有效工具。正如我们已经讨论过的大多数人工智能技术，真正的好处不光只在人工智能领域出现。

为什么不去"创造"智能

你可能会再次提问，如果GA如此有趣，并且易于编程，那么为什么它们不是制造人工智能的捷径呢？进化计算吸引人的地方有目共睹。我们知道，进化已经产生了智能。实际上，它是唯一制造出稳健的一般目的智能的东西。为什么不能让我们的GA在一台大型计算机上运行，使这个过程重现呢？答案藏在一个事实中：这一人工智能分支仅能够制造出令人印象深刻的局部成功，而非一般解决方案。

事实上，GA这种诱人之处是有误导性的。尽管进化已经制造了一般目的智能，这也不是它的内容或目的。实际上，进化过程已在试图避免产生一般目的智能。一个局部的、单一目的方案总会被人青睐。这源自进化的本质。

在我的窗外，有松鼠、白桦树、绿草和大量蒲公英。然而，只有松鼠拥有大部分我们所谓的智能。我们通常会错误地认为，相比之下，松鼠的智能复杂性使其在进化中更加成功。如果条件改变，比如说全球变暖减速以及大量降雨，那么松鼠将无法适应树木或草地。事实上，蒲公英将自己的大部分保存在地下的能力会让它获得最大的成功。当然，蒲公英也将面临来自新的、适应干旱的植物的挑战。对咖啡和水的大量需求，意味着大学只能被其他生物（当然是非智能的）占领。简而言之，生物进化无法度量你如何生存。智能通常不是必需的。同样地，我们有一些不错的理由来相信，人类智能并未对生存产生帮助。我们将在下一章详细讨论这点。

一个更深层次的问题是，编程超出了单一问题情况的范畴。研究人员编写GA，或许有一个他想要进化出的模拟的理念。然而，这个程序只会按照适应性函数引导的方向去进化。换言之，在开放性情况中，GA似乎就不那么有效了。我们尚未充分地了解一般目的智能，无法提供一个清晰的适应性函数。这不是说在人工智能中使用进化计算没有未来：无疑，它是目前研究中一个令人着迷的部分，而且，或许未来还会制造出更多有益的应用。不幸的是，它不是制造智能机器的捷径。

正如其他成功的人工智能技术一样，它们不是捷径的事实并不会抹杀它们的用处。穿越大西洋不是到印度的捷径，但这不会阻止人们去寻找真正的道路。进化计算和人工神经网络，是已经挖掘了许多实际应用的相对较新的技术。它们或许能够带给我们更多惊喜。

受到生物学启发的人工智能,已经在一些相当不同的领域塑造了大量有益的、奏效的项目。甚至,它们通常都是幕后英雄。正如太空飞船设计程序一样,我们倾向于只去看航天器。更难看到的是,它的机翼形状是 GA 进化出的,而非人类设计的。受到生物学启发的人工智能也像上一章提到的技术一样,并没有为自己的成绩赢得多少喝彩。很难去判断最新款的洗衣机如何使用人工神经网络来控制洗衣程序,但神经网络确实做到了这点。我们或许无法制造出一个人工大脑,但在尝试的过程中,我们收获良多。毫无疑问,一些科学领域已经产生了许多有益的进步。

章后总结

1. 生物学同样会从人工智能研究中汲取灵感,获得知识。

2. 人工神经网络本质上是一种计算机程序,它受到了人脑和类似的动物大脑工作方式的直接启发。

3. 大脑一点儿也不像计算机。人类大脑被称作宇宙中最复杂的东西。一个人类大脑可能的配置数量,远远超过了全宇宙的原子总数。

4. 选择和繁殖过程也能在计算机中模拟。

● **拓展阅读**

- 人工神经网络在一般的人工智能图书中都有涉及。《神经计算介绍》(An Introduction to Neural Computing)（亚历山大和莫尔顿，1990年）对人工神经网络做出了一个具体的、可读性强的介绍。

- 为什么相比流行说法，有更多进化的说法？《达尔文的危险想法》(Darwin's Dangerous Idea)（1995年）给出了不错的解释。

- 《理解智能》(Understanding Intelligence)（普法伊费尔和沙伊尔，1999年）是一本介绍受生物学启发的人工智能方法的优秀读本。

人工智能跃迁的 7 大难题

A
BEGINNER'S
GUIDE

人工智能很容易知道"手机是什么样,眼镜盒是什么样"?

人工智能可以回答用中文提出的问题,那么它一定能够理解中文?

"某个东西能够在计算机上模拟"的事实意味着它本身是可计算的?

人造生命能很容易地执行人类行为?

我们讨论过人工智能已经取得的实践和理论成绩后,是时候快速浏览一遍目前的主要可能性。但是,在介绍这些可能性之前,我们需要走一个小弯路,先来看看一些人工智能研究所面对的巨大挑战。这个小小的弯路将会帮助我们理解,为什么人工智能的圈外人会批评人工智能,而圈内人会相互批评。

为了说明背景环境,我们有必要回忆一下:人工智能代表了人类曾应对过的最为巨大的科学挑战(可能没有之一)。我在第 1 章提到过,人工智能比太空旅行更难实现,这个说法丝毫没有夸大。认为这样的宏伟目标无须面对很多困难和批判简直太过天真。无疑,人工智能自身面临问题,但是这并不意味着进步缓慢或者没有激情。

同样值得记住的是,与太空旅行不同,人工智能研究并不需要昂贵的设备或对潜在参与者的地域限制。进入人工智能研究领域的主要条件,就是拥有创造力并且能够持续地思考一些困难问题。出于这个原因，在许多国家，许多拥有不同背景的不同人群都在进行人工智能研究。在本章其余部分，当我讨论经常被圈内称作"难题"的东西时，读者应该将这些难题视作研究人员本身能够解决的谜题。

纵观历史，许多人工智能批判者都来自圈外。特别是哲学家常常宣称，人工智能的全部或部分观点是误人子弟或不可能实现的。本节稍后部分，我们将探讨此类观点中更加著名的批判。但是，仍然存在一些实际问题，需要在我们继续哲学问题前进行审视。我们将在这里考虑的哲学并不是很具技术性，我希望讨论的不一致，全部与看法有关。

历史难题：研究领域的派系之争

作为历史问题，人工智能研究人员倾向于组成不同的阵营，并且有时会互相谩骂。现在看起来这似乎是自然的人类趋势，可能是所谓的"已知人类缺陷"，这也是人类开始对人工智能产生兴趣的原因之一。通常我们没有理由去批评它。然而，在人工智能圈内，这已经成为并且将继续成为进步的阻碍。

回忆一下第1章中的军事隐喻。人工智能研究人员都在跨越人类知识的最前沿，推动学科的发展。人们已经开发出并且仍在继续开发各种类型的程序和机器人，去完成人类能够完成的各种事情。写诗？当然，尽管我从未被非人类创作的诗歌感动。探索火星？当然，这看起来像一个由机器人主导了数十年的活动。通过神经模拟研究大脑损伤？这也是人工智能技术的一个重要应用。

人工智能问题的领域如此广泛，人工智能技术应用的领域同样广泛。我们已经见证了，启发引导式的搜索如何为解决特定类型的问题提供依据，这催生了世界级的博弈程序。我们同样见证了由大脑启发的程序如何用非常不同的方式解决问题（通常是略微不同种类的问题）。其他研究人员通过制造现实中的机器人来进入这一领域。如果能够整合不同技术，这种技术的差异性并不是大问题，但是，人工智能研究人员常常只在自己的工具包里放置一种技术。

更糟糕的是，他们常常藐视其他技术。他们可能认为使用其他技术的研究者犯了根本性错误，或者没有追求与之相同的目标。人工智能的短暂历史之所以引发了这种派系之争，有很多实际原因。研究人员需要在激烈的竞争中争取到资金。在这种竞争性环境下，将自己的方法与竞争者的方法进行区分似乎相当有帮助。

聪明的学术研究人员在职业生涯开始时，就已经完成了大部分真正有趣的工作。人工智能作为一门新兴科学，在这个领域里，拥有创造力和研究能力的个人能够单枪匹马地提出新颖理念，并将其发展为有效原型。这导致人工智能界出现了许多有前途的明星，却没有技术组合的"良方"。然而，为资金和短期小规模研究项目而竞争的问题并不是人工智能领域所独有的。生物学、物理学和化学界都或多或少面临着这种问题。

人工智能的特别之处在于，领域内的研究人员过度概括他们的结论和主张。对于我在前几章提到的所有方法，这种情况都已发生，并且仍在继续。处在以搜索为基础的研究方法前沿的研究人员宣称，这种方法本身就是人类、动物和机器智能行为的基础。对使用以知识为基础的技术的研究人员而言，同样如此。对于神经网络、遗传算法和以行为为基础的机器人学，亦是如此。某些人可能会假设发现一种成功的技术，并假设（或至少宣称）这是解开智能谜题的唯一钥匙。

令人不解的是，学术界的派系之争似乎比商业圈更加明显。在商业世界，整合似乎是可行的。许多成功的商业人工智能产品都包含了不同技术的组合。数据挖掘就是一个很好的例子。其中基于搜索的方法、受生物学启发的方法以及统计分析法，都在单一程序内协同工作。用户只需要点击桌面图标，就可以将神经网络与启发引导式搜索组合起来。

◎ 一个问题是，在商业世界，技术的选择似乎更会受到"它奏效吗"这个问题的影响，而非"这与我们的正统性一致吗"这个问题。

◎ 另一个问题是，成功的人工智能通常会涉及规模庞大的项目，第 2 章介绍的 NASA 的航天飞机就是一个很好的例子。这一项目花费了3年时间和150万~200万美元的投资,再一次证明建造非常巨大的系统的需求不是人工智能所独有的。一般性计算正处于开发阶段,在这一阶段,大型项目通常都在议事日程上。然而,管理一个大型计算项目并非易事。行业专家估计,目前大约有50%的信息技术项目无法完成。很明显,这对人工智能研究而言是一个严重的问题,但是文献中几乎很少提及。

总而言之,人工智能必须处理大型计算项目面临的所有问题,我们仍需要学习如何成功组织这些项目。我们也必须处理一般性的科学问题,例如如何团结身处不同阵营的聪明却具有个人英雄主义的研究人员。同样必须处理的是来自学科外部的批评,这些批评通常带有敌意。接下来的部分,我将介绍一些与人工智能不同的理论难题。

环境难题:哪些是智能机器需要知道的

如果我们希望实现一般目的智能,使机器人(或其他某种机器)能在环境中独立运行,那么我们必须提供一些方法,使机器人能够获取关于这个环境的信息。然而,这个简单的理念直接导致了人工智能的一些最大的挑战。将电视摄像头连接到计算机上是举手之劳,但事实证明,使计算机从摄像头的信号中提取任何有用信息都是极端困难的。机器人当然能够通过接触、雷达、声呐或者其他形式的传感器来探索自己所处的环境,但在此过程中也会出现我们本节所考虑的问题。

实际上，实现计算机视觉的过程会涉及很多问题。然而，我们可能会将这一领域的一个基本问题当作对象识别问题。它与人工智能其他领域的问题有着密切联系。举个例子，如果机器人的视觉系统能够使它区分手机和眼镜盒，这将是有用的。如果我要求机器人把手机递给我，我会希望，在大多数情况下，它递给我的是手机而非眼镜盒。

读懂人工智能
"手机是什么样，眼镜盒是什么样"

这似乎是一个有待解决的细枝末节的问题，但事实证明这非常困难。解决这个难题最明显的方法是向机器人提供"手机是什么样，眼镜盒是什么样"的知识。这种方法将会陷入真实世界的不可能性中，因为这些物体看起来什么样取决于光线、视角以及是否有东西在它们附近，等等。如果我们考虑不同类型的手机和不同颜色的眼镜盒，问题就会变得更加复杂。为了应对这个问题，人工智能研究人员通常会脱离真实世界来思考。在一个高度可预测的受控环境中，研究人员在处理这类问题时取得了一定成绩。这就是为什么机器人能够被部署在生产线上的原因。

然后，这个问题变成了如何让机器人处理更加丰富、更无法预测的情况。我们已经知道，在解决真实世界问题时，知识的作用非常强大，一个自然而然的假设就是为机器人输入大量有关真实世界的知识。这种方法的一个问题被称作"帧面问题"（frame problem）。这不光是基于知识的方法需要解决的问题，其他方法最终可能也必须面对这个问题，或者其他类似问题。

实际上，存在两种不同类型的帧面问题和相关问题，但是它们都与"我们如何保证，机器人知道与世界相对应？特别是世界发生改变时"这个问题相关。"帧面"这个名字，一部分是指动画中的帧。从一帧到另一帧，几乎所有东西都是持续的。一个细微的特征是，米老鼠胳膊的位置可能会改变，当我们观看动画时，这点可能会让我们产生运动的错觉。这是一个人工智能的问题，因为，很明显我们（和假定中的其他智能实体）需要将注意力集中到我们所处环境中非常小的一部分，也是起作用的那部分上，然而我们也必须注意副作用。

这如何成了人工智能的问题？好吧，想象一个处在真实环境中的智能机器人，比如你起居室里的机器人。一方面，为了找出不撞到任何东西的行走路线，它必须知道墙壁在哪里，家具在哪里。如果它走出房间再回来，它能假定墙壁仍在原地，但是家具有可能被人移动了。如果机器人不想撞到东西，它需要知道什么东西可以移动，并观察这些东西发生了什么变化。

另一方面，在你的起居室里，有很多机器人无须知晓的东西。你可能在这个房间里住了很多年，但从未计算过它的实际面积或与磁极北极相关的校准线。描述这类问题的一种通用方法是"我们如何确定你起居室里的哪些特征是机器人需要知道的，哪些是无须知道的"。

这个问题至多是我们在第 2 章看到的那类组合的指数型增长。关于你的起居室，需要了解的东西可能是无穷的。机器人需要知道墙壁的颜色吗？或许它应该知道，但它有必要知道你重新装修前这些墙壁的颜色吗？起居室是否比卧室大呢？它比琼斯的起居室大还是小呢？

你可能会想出这个问题的一个明显的解决方案。这可能与哲学家安迪·克拉克（Andy Clark）所谓的"007 法则"有关（大概参考了国际间谍活动的世界）："只需知道完成任务所需的信息。"这对你起居室里的机器人而言是个不错的口号，但是它并不能解决这个问题。区分什么东西需要知道和不需要知道，只是对原问题的重新表述。如果我们用 007 法则对机器人编程，让它清扫你的起居室，那么当它判断自己无须知道墙壁原来的颜色，只需要知道桌子的位置时，它便会停在原地一动不动。因为它需要知道的事情似乎无穷无尽。这个时候，建议你最好忘记机器人，自己清扫房间吧。

"你能自己清扫房间"这个事实说明了这类问题不是无

法解决的，或许这更像一个有趣的悖论而非真正的困难。然而，正如我们已经看到的，为什么人工智能的成功很难发扬光大，一个重要的原因是我们很难将一般性智能植入计算机或机器人。

在一个拥有已知问题集合的约束世界中，我们也许不会遇到这个问题。举个例子，如果我们想要制造一个机器人在生产线上工作，那么我们就要假设，只会发生有限数量的事件。这个数量对人类而言可能非常大，因为一台计算机能够在一秒钟内考虑数千种可能性。重要的是，这个数量是有限的。如果发生了奇怪的事情，它能够被编程来寻求帮助。在这种情况下，它需要知道什么是可以处理的。不幸的是，这或许不是我们所谓的"一般目的智能"。在真实世界中，如果置身于你的起居室里，可能发生的事件会非常多，或许是完全无法处理的。在本章后面的部分，我们将会看到为什么一些人工智能研究人员认为他们发现了回避这类问题的方法。

中文屋难题：理解而非遵照指令

对人工智能方法最著名的一个批判就是所谓的"中文屋"实验。这是伯克利大学的约翰·塞尔（John Searle）提出的一个思想实验。塞尔并没有反对智能机器的理念，实际上他认为，我们人类就是一种会思考的机器。他主张，机器无法仅通过执行程序来获得意识。"意识"非常难以定义，它引发了无尽的争论。幸运的是，对于眼前这个目标，塞尔的反驳与这种棘手的概念并没有直接关系，反而依赖于计算机程序的本质。

塞尔将自己的反驳建立在一个事实的基础上：计算机程序本质上只是算法。一个算法是完整地描述如何执行某个操作的一组步骤的集合。在烹饪中，算法可以是菜谱，在音乐中，算法可以是曲谱，等等。在计算中，程序执行了完全相同的功能。因为塞尔相当肯定地提出，计算机程序的编写永远无法捕捉到人类思想的精妙之处。

归功于我们已经讨论过的有关算法的内容，这点似乎变得显而易见：计算机程序是算法。算法有的时候被描述为"没有头脑的"。另一方面，人类思想包含了判断、情绪和理解之类的东西。乍一看，它可能无法简化成对算法的盲目追随。

为了说明这点，塞尔提出了一个思想实验。想象一个密闭房间内只有一个空槽可以传入、送出纸张。在房间里，只有塞尔教授和一大堆用英文书写的指令书。某人把一张写满不明线条的纸送入房间。塞尔查询指令书。指令书提到，如果这组线条被放入房间里，那么另外一张写有不同线条但描述精确的纸就必须被送出房间。这就是他所做的事情。过了一会儿，另一组线条被送了进来，他查看指令书，再将另一个线条集合送出去。

塞尔完全不知道送入房间的线条是中文字符，这些字符代表了用中文书写的问题。输出的线条集合是对应这些问题的准确答案。屋外的人会说，这个房间能够回答用中文提出的问题，那么它一定能够理解中文。

塞尔说，事实并非如此。他，约翰·塞尔，并不理解任何中文。他所做的只是在执行指令。塞尔认为这就是计算机所做的事。计算机会盲目地执行一系列指令——一个程序：没有理解，也无法使用这种方法研究人工智能。

很明显，塞尔刻意设计了这个思想实验，让人们对第 1 章描述的图灵测试进行反思。图灵认为，当计算机能够以一种与人类无法区分的方式回答一系列开放问题时，那么人们可能会说，计算机能够思考（对他来说，这只是时间问题）。他没有看到提及"理解"的必要，或者在如何实现这个性能方面设置技术限制的必要。塞尔的"中文屋"明显通过了用于理解中文的图灵测试，但塞尔认为，它实际上并不理解任何中文。

让我们考虑一下塞尔在这里提出的东西。我们想要将"中文屋"作为计算机系统，它可能会宣称自己理解中文。塞尔自己或许代表了 CPU。指令书代表了程序。在这种情况下，它只是对输入的信息进行响应。真实的计算机程序一般比这个过程更加精密、灵活，但是从本质上讲，这并不影响论证本身。由于算法盲目遵循规则的特征，人们宣称，计算机无须任何实际智能就能显式地实现智能行为。

数年来，人工智能圈中的许多人已经对这一思想实验做出了回应，但塞尔仍然固执地认为他们都是错的。一些人提出，我们需要将"中文屋"放入真实世界的真正的机器人里。我们将在本章后面部分详细讨论这个方法。最为流行并且我希望深入考虑的一个回应是塞尔所谓的"系统响应"（The Systems Response）。这一回应主要提出，尽管屋里的塞尔并不理解中文，但系统作为一个整体是理解中文的。塞尔认为，这个系统响应很明显是错误的，因为屋里没有理解中文的塞尔，系统里也不存在任何对中文的理解。除了塞尔以外，这个系统里没有其他可能理解中文的东西，因此在系统里寻找"理解"就是毫无意义的。

在这个回应中，我们开始看到这个思想实验的巧妙之处。我们在一个理解系统里无法找到任何理解，这并不令人意外。1714年，哲学家戈特弗里德·莱布尼茨曾提出，如果将一个会思考的机器想象成一座风车，我们进入这座想象中的会思考的风车，走一圈，只会"发现一个组件推动另一个组件运转，却永远无法找到能够解释认知的东西"[1]。因此，塞尔的观察几乎没有新颖之处。如果查看任何理解中文的系统的组成，我们都不会找到一个单独执行理解功能的部分。

中文屋思想实验通过将一个伯克利教授放进屋子，使我们偏离了这个简单的事实。毫无疑问，如果我们想要在这个系统里找到什么可以理解中文的东西，那就应该是这位教授了。然而，这位伯克利教授出了名地不懂中文。那么，再一次，这会使我们惊讶吗？如果我们将一位母语是中文的人的大脑和躯体分离，似乎也无法找出特定的理解中文的部分。

更有意思的是，让我们借着"中文屋"这个话题，重提图灵在 1950 年提出的问题[2]。我们会对一个能够回答任意问题的屋子说些什么？对许多人来说，说它不理解中文似乎有悖常理。你可以用中文提出任何问题，并且得到一个用中文回答的合理答案。我们无法找出这个屋子里能够理解中文的部分，这真的重要吗？我们关心吗？我们并不会把人类或动物分解开，来寻找"理解"，而是通过其行为来判断它们。这就相当于在说一台不会计算的计算器。如果你想说这点，那么或许你想把"计算"这个词留给人类。这是不合理地"以人类为中心"。计算器或许无法按照你的方式计算，但是，说它会计算似乎是最简单、最清楚不过的事。1950 年，图灵在自己的论文中关注了人们的态度。大多数人对塞尔的观点不置可否。更有可能的是，图灵的预言是正确的，对"理解"这个词的使用将会发生微妙的变化。

算法化难题：机器不能模拟人的思维逻辑

另一种对人工智能的反对主要来自数学家，并非所有或大多数数学家，只是其中一两个有名的例子。你在拓展阅读部分可以发现约翰·卢卡斯（John Lucas）和罗杰·彭罗斯（Roger Penrose）的名字。这些数学家认为人工智能无法实现的一个主要原因是，实际上在现代计算机出现以前，人们就知道有一些事情是计算机永远无法做到的。用正规术语来说，人们已经证明，存在无法遵循算法或"一步接一步"（step-by-step）的程序实现的数学和逻辑事实。[3]

现在，这些作者从这个纯粹的事实中得出的结论是，人类思想无法算法化。这种观点对一些数学家有吸引力的原因之一是，当他们在数学研究中取得创造性的飞跃时，并未感觉到自己是在执行算法。

大多数人工智能领域的研究人员认为这些观点是有误导性的，他们有一系列理由。或许最为重要的就是，这些正式的数学和逻辑事实的本质太过笼统，以至于说人类思想在某种程度上可以免除看起来是最不合理的。有许多困扰人类的逻辑难题，也有一些与困扰计算机的难题紧密相关的问题。古希腊有一个著名的逻辑难题："这个陈述是错误的。"如果这个陈述是正确的，它一定是错误的；如果这个陈述是错误的，它就会是正确的。这是一个悖论。从实际角度看，这个难题和类似悖论的存在对人类来说并不是太大的问题。知道计算机存在类似或相关的问题并没有阻止我们在过去50年间将其应用到大量的不同任务中。

人工智能领域的人通常没有被这些反对声音拖累的另一个原因是，他们似乎常常弄错了计算机在人工智能中所扮演的角色。正如我们在第1章看到的，某个东西能够在计算机上模拟的事实并不意味着它本身是可计算的。天气模式的模拟是天气预报的关键，从根本上来说，这种模拟使用了算法，因为它们是在数字计算机上运行的。然而，没有人宣称天气在某种简单意义上是可算法化的。这种模拟是可行的，因为有科学论证指出，天气模式中隐藏着一般性规则，这些规则可以通过算法来模拟。如果我们准备考虑类似的关于人类思想的一般性科学主张——可能像"自然界中人类和动物的思想不是魔法"一样基本，那么我们可能会在机器上模拟出大部分思想。这些机器背后的工作原理都遵循了算法的规则。

信息处理难题：将机器人带入真实世界

20世纪四五十年代，控制论的研究领域重点关注了制造真实的物理机器，例如机器人。在后来的几十年间，这种方法因为人工智能方法的崛起而不再被关注，后者主要依赖于编写程序，大部分程序解决了相当抽象的问题，例如下国际象棋。在研究人员对真实世界问题感兴趣的例子中（实际上，这或许是主流），计算机模拟被认为是完全适合的。20世纪四五十年代的研究人员无法轻易接触的计算能力对后来的研究人员来说变得再寻常不过。后来的研究人员开始编写和使用有效的计算机模拟，并将其作为研究工具，结果就是，他们更擅长处理模拟中的问题，而非真实世界的问题。

在模拟中处理问题的优势诸多，并且显而易见。想要修改真实机器人的设计，可能需要几天或几周；而修改模拟机器人的设计只需要几秒钟或几分钟。出于同样的原因，如果人工智能研究人员的目标是理解隐藏在智能背后的原理，那么组装和焊接一个物理机器人的实际问题，就是在浪费时间。

但是在 20 世纪的最后 10 年，一部分研究人员开始挑战这些假设。他们开始回归长期以来被忽视的机器人制造学科。这个运动通常被称作"情景机器人学"（situated robotics）。考虑到计算机模拟的有效性，我们需要对这一运动的动机进行简单的解释。为什么要处理这些制造机器人时遇到的实际问题呢？

事实上，之所以有必要真正制造某些东西，有几个原因：

◎ 首先，我们永远无法保证模拟是完全正确的。问题的重要特征可能会被忽略。人们在熟知的地方走得越远，就越有可能出现这种情况。在大多数人工智能研究中，模拟常常与现实相背离——把真实世界的复杂性过度简单化，人们对这点所知甚少。

◎ 其次，将机器人带入真实世界会使得一个学科去研究，何种类型的控制结构是合理的。也就是说，设计控制机器人所需的程序不再是一个那么开放式的问题。机器人的真实环境所给出的限制，远多于纯理论环境。这种观点的倡导者强调，在将机器人带入现实环境前就确定其行为是具有一定危险性的。如果我们制造出在一个环境中运行的机器人,那么,这个环境能够告诉我们很多关于设计的信息。

同样地,这种方法意味着人们可以回避一个问题:提前了解机器人需要知道多少信息。本章第 2 节讨论过这个问题。坚定地将机器人带回真实世界意味着人们可以推迟解决"它可能需要或不需要知道什么"的问题。一条口号很好地概括了这点:"世界是它对自己最好的诠释。"例如,我们可以调整起居室里机器人的行为,直到我们觉得它的清扫活动已经做好了。如果碰到桌子成了问题,那么我们可以给机器人安装一个传感器,或许是像开关一样简单的东西,使其在恰当的位置检测到桌子并躲避。在这种情况下去问机器人知道什么才能完成工作,甚至都显得多余。这种观点的拥趸可能会提出,可以用他们的方法来回避"机器人需要知道什么"的问题。一旦我们对修正过的机器人行为感到满意,那么它就能够完成工作,我们无须去问"它如何完成工作"之类的复杂问题。我们甚至不用讨论它知道什么事情。

整体观难题:功能分解行不通

将机器人带回真实世界同样导致了研究重心的转移,形成了所谓的"整体观"(holism)。之前的人工智能方法倾向于假设一个智能实体可能执行的任务会被分割,即"功能分解"(functional decomposition)。情景具现化方法将所有这些任务再一次整合起来。它强调这类事件是传感器输入和发动机活动之间的强耦合。也就是说，在这样一个"传感器－发动机"环（sensory-motor loop）内，应该存在最小限度的计算处理。我们可以在自然界中发现这种联系。

纵观人工智能发展历史，人们会假设，智能行为能够被分而治之，这种假设有的时候是显式的，有的时候是隐含的。一些人研究计算机视觉，一些人研究规划，另一些人研究语言，等等。尽管这种情况仍存在于人工智能的一些领域，在过去10年间，已经有坚信智能行为问题无法按照这种方法分割的研究人员开始抨击这种假设。

"整体方法"的一位领军人物是麻省理工学院的人工智能实验室主管（这或许是人工智能领域最具影响力的位置）罗德尼·布鲁克斯（Rodney Brooks）。在一篇1991年发表的重要论文中[4]，布鲁克斯用我们称之为"波音747寓言"的例子说明了自己的观点。他提到，想象一组19世纪90年代的人造飞行器研究人员，被时间机器带到了100年后的未来世界。他们有机会乘坐一架波音747飞机。之后，亲眼看到了未来的他们，满怀激情地回到自己的时代，坚信人造飞行器是可能的。然而，他们凭借经验习得的所有东西都是毫无用处的。

例如，空气动力学的早期科学被遗弃了。在飞行期间，他们向同行乘客询问这一领域的科学知识，结果完全被无视，他们得出一个结论：它一定没有作用。一组研究人员开始复制座椅。首先，他们使用空心钢管（实际上，19世纪90年代时，人们尚未提炼出航空座椅所使用的铝）。有人提出，如果波音747这样的庞然大物都能飞行，重量就不是问题，他们找出了使用固体钢棒的笨方法来解决。

一组研究人员看到了去掉外壳的引擎，受到启发要尝试复制它。然而，驱动波音747的现代高涵道比涡扇引擎，从各个方面都远超19世纪90年代的技术水平。材料无法获得。工程精度无法达到。设计这样一台引擎的气流知识无人掌握，还有很多诸如此类的问题。

我将这个故事称之为寓言，是因为布鲁克斯并没有解释这个"故事"应该如何解读。然而表面化的解读是，19世纪90年代的人造飞行器研究人员代表了传统的人工智能研究人员，而波音747代表了人类思维。瞥见智能行为能做什么将产生不少启发，但是，几乎它的全部组成都超过了现有的技术水平，因此，它能带给人们的只有误导性。那些试图复制现代喷气式发动机的人，就像今天的神经网络研究人员一样。他们受到大脑的启发，试图复制大脑，但这远超现有的技术水平，就像1890年的航空先驱想要复制涡扇发动机一样。那些试图复制座椅的人，也是那些相信通过复制局部的人类能力（比如将一系列动作进行规划）就能处理一般性智能问题的人。

通过这个寓言，布鲁克斯无情地批判了"功能分解"——

智能可以被分割为不同的研究项目去处理的想法。他所追求的是整体方法，制造简单的、不太粗糙的、有形体的机器人，以便研究一般目的人工智能的问题。

19世纪90年代的人造飞行器研究人员最终通过研究空气动力学获得了成功，他们借助声音的空气动力学数据，借助当时可用的材料，制造出非常粗糙的飞行器。1903年，莱特兄弟成功试飞了一架动力飞行器，拉开了人类追逐飞行的序幕。实际上，仅66年之后的1969年，尼尔·阿姆斯特朗就踏上了月球表面。对于我们讨论的主题更重要的是，同年，首架波音747客机起航。这架飞行器开始具备现代旅行的特征，构成了布鲁克斯寓言的基础。

现在，讨论情景机器人学的整体方法和情景具现化方法是否会推动人工智能的巨大发展还为时过早。但这或许是讨论某些人工智能问题的权宜之计。"下一个66年将会有像航天领域发展一样伟大的进步"，我们无法排除这种可能性。

人造生命可行性难题：简单行为背后是复杂逻辑

20世纪90年代早期，制造"情景机器人"和人工智能整体研究法的理念整合，造就了一门新的人工智能研究方法（有人可能想称之为一门新学科），即所谓的人造生命。这种方法的支持者想要一个新名字的主要原因之一是，他们直言不讳地反对之前的人工智能研究方法。正如我们所见，这种派系之争并没有新意。我们或许会嘲笑，"人造生命"这个名字其实也延续了先前研究方法的传统，即它听起来所涵盖的范围要比实际范围大，也更宽泛。也就是说，人造生命看起来是一个研究人工智能问题的不错方法。情景具现化的概念不仅是制造机器人的好方法，它同样帮助我们处理了一些影响人工智能发展的更普遍的问题。

不幸的是，经过10~15年的发展后，人们确定了，如同其他人工智能研究方法一样，人造生命并未实现长足的发展。情景机器人学制造了一些精妙的机器，但情景机器人只能在非常特定的情况下良好运转。看来这似乎不是一条制造一般目的智能的捷径。当然了，说情景机器人学不是通向一般目的智能的捷径，并不是说它不是可行的方法，或者已经在别的地方发现了捷径。它就像我们已经看到的其他方法一样，只是拼图的一部分。我们能够确定的是，它看起来不像是唯一的部分。

我想起了几年前出现在 *AISBQ* 封面上的由玛格丽特·维尔邦克（Margaret Welbank）绘制的卡通漫画。*AISBQ* 是《人工智能和行为模拟协会季刊》（*The Quarterly Journal of the Society for Artificial Intelligence and the Simulation of Behaviour*）的简称，它是英国人工智能研究领域的行业刊物。这幅卡通漫画里，不同的人工智能方法都以人物形象出现。第 2 章中描述的基于搜索和启发的方法，是一个留着络腮胡子的老人。第 3 章中描述的神经网络和来自大脑的灵感,在画中是一个成熟的、挥动着一张网的人。这些形象都在观看被绘成一个爬行的婴儿的人造生命。他们在一旁挖苦道:"只要等他再失败几次。"

现在,人造生命又经历了几次新的失败,我们或许能够看得更清晰一些。情景具现化和整体方法回避了一些其他方法可能会遇到的问题。目前,它似乎无法实现的是扩大规模,进而让我们制造出一般目的智能。

这些失败中最具代表性的一个例子就是人们口中这种人工智能方法的"旗舰项目"。这个项目是在麻省理工学院人工智能实验室中制造的人形机器人柯克(Cog)。这是世界上资金最充足的人工智能研究项目,正如我们所见,布鲁克斯是这种人工智能方法的倡导者。柯克是该项目中的人形机器人,它看起来像一个人的上半身,拥有关节完整的手臂、会动的头和眼睛(见图 4-1)。

制造这种机器人的原因我们在前面已经讨论过。麻省理工学院的研究团队相信,与世间丰富的传感器和发动机联系,对于研发机器人的正确行为是必要的。关键之处在于,它的感知不只获取了抽象信息,还涉及丰富的认知和行为联系——它的制造者称之为"传感器-发动机"环。简而言之,只有确保机器人与环境交互的方式和人类与环境交互的方式充分相似,才能确保机器人可以获得像人类一样的概念。而且,在柯克的例子中,人们通常认为,人类通过与其他人的交互习得了许多关键技能,柯克可以通过这样的交互获得成长。因此,它必须能够观察讲话者,在他们的注视下做出反馈,甚至与他们握手。

早期研究取得了不少成绩。柯克学会了类似人类婴儿的方式,用手去触碰视觉目标。然而,所有这些机械和后续研发支撑的"更高级"的技能尚未出现。布鲁克斯描述了这次失败:尽管付出很多努力,柯克仍然无法区分手机和眼镜盒。有必要记住柯克是一个复杂机器人,它是许多不同研究项目的焦点,未能达到上述研究目标并不意味着整个方法遇到了困难。

图 4-1 麻省理工学院人工智能实验室制造的人形机器人柯克

图片来源:©MIT Artifical Intelligence Laboratory

关于为何这种方法一直存在对象识别问题,不同意见之间分歧巨大。一个极端观点认为柯克只是需要更多的时间和投资,另一个极端观点认为整个想法从一开始就是错误的。在这两个极端之间，我们可以得到一些较为实际的启发。首先，在管理像柯克这么大的项目时，可能会存在一些组织和政治难题。大约有55%的IT项目以失败告终，因此我们不应该过度解读一次失败，从一开始，它就只有一半的成功机会。其次，也是更重要的，在低级技术技巧（比如抓取对象）和我们认为是智能开端的东西（比如识别特定对象）之间的鸿沟里，有太多"缺失的科学"。信誓旦旦地承诺通过整体方法、情景具现化方法能够实现目标是一码事，而知道如何实现这个目标是另一码事。再次，从科学意义上来看，这或许是非常有意义的失败。最后一章中考虑未来趋势的时候，我们将回到这一点上。

对日渐壮大的人造生命领域而言，"缺失的科学"是一个重要问题。关于隐藏在自然智能中的生物过程，我们仍然所知甚少。我们并未对单一神经元如何运转建立完整的图谱。我们并未完全理解神经突触会通过哪些神经元进行通信。我们并未理解大脑如何通过化学物质影响各种行为。人造生命的研究人员投入了大量时间和精力去研究相当简单的动物，例如昆虫。他们已经得出的一个结论是，这些看上去简单的动物，其实呈现出了相当复杂的行为。通常太过复杂，以致无法在一个机器人身上复制。我们可以从中窥见，人们在试图理解自然世界时，学会了敬畏和好奇。同样地，这也是一个"缺失的科学"问题。

这意味着人造生命的新领域已经面临危机，在不久的未来可能会分裂为两个迥然不同的领域。其中一个非常关注缺失的科学，将把研究人员的目标设为帮助生物学家找出更多关于这一缺失的科学的知识。昆虫之类简单动物的计算机模拟，将成为更好地理解此类动物行为和生物学的主要方法。另一个领域的研究人员在思考或者希望缺失的科学不会影响到他们制造具备一般目的人工智能的机器人的目标。他们将继续制造，并且希望某些有趣的东西将会出现。虽然使用了"制造和希望"这些字眼，但我并没有批判的意思。我们有必要记住，有时候实践可能会先于科学理论出现。至少在对象识别的例子中，柯克是这种"制造和希望"方法的最好例子。

一位英国研究人员史蒂夫·格兰德（Steve Grand）试图制造一个具备哺乳类动物特征的具现化机器人（见图4-2）。他在由车库改装而来的工作室里独立进行这项工作。而且，格兰德没有任何学术、商业或军事的资金支持。相比资金充足的柯克项目，这种方法可能听起来野心勃勃。然而，读者应该回忆起过去那些孑然一身的英国科学家创造出的惊人成绩。例如，在英格兰南岸的黑斯廷斯，约翰·洛吉·贝尔德（John Logie-Baird）独自在一间小公寓里制造出了世界上第一台电视机。

格兰德就是这样一位有可能推动伟大进步的我行我素的研究人员。当然，他不应该被视作一位富有激情的业余爱好者。他不仅熟悉各种研究中心的最新动态，还在人工智能界小有名气。1996年，他成功开发出一款名为Creatures的计算机游戏。

这款游戏不仅引入了一种新的游戏体裁,即现在的"养成类"游戏,而非"射击类"游戏,它还展现了进化计算技术如何被用于娱乐技术的大好前景。

图 4-2　史蒂夫·格兰德的机器人露西

尽管人工智能领域的大多数人可能会谨慎评估他成功的概率，但是，他们都希望格兰德继续前进。他正在尝试的东西异常困难。许多评论家称之为不可能完成的任务。史蒂夫·格兰德就是本章开头处主张的一个例证，表明才智、创造力和坚韧不拔是参与人工智能研究的必备素质。

章后总结 ●

1. 进入人工智能研究领域的主要条件，就是拥有创造力并且能够持续地思考一些困难问题。

2. 如果机器人的视觉系统能够使它区分手机和眼镜盒，这将是有用的。如果我要求机器人把手机递给我，我会希望，在大多数情况下，它递给我的是手机而非眼镜盒。

3. 计算机会盲目地执行一系列指令——一个程序：没有理解，也无法使用这种方法研究人工智能。

4. 人类思想无法算法化。

5. 对日渐壮大的人造生命领域而言，"缺失的科学"是一个重要问题。关于隐藏在自然智能中的生物过程，我们仍然所知甚少。

● **拓展阅读**

- 丹尼尔·丹尼特（Daniel Dennett）撰写的《认知的车轮》(*Cognitive Wheels*)（1984年）对帧面问题的重要性做出了风趣、可读的解释。

- 蒂姆·克兰（Tim Crane）的《机械思维》(*The Mechanical Mind*)（1995年）对哲学家关于这些问题必须讨论的内容进行了非技术性介绍。

- 安迪·克拉克在《微认知》(*Microcognition*)（1989年）一书中解释了007法则，然而，他后来在《身临其境》(*Being There*)（1997年）一书中的解释可能会更好。

- 约翰·塞尔在许多地方描述过中文屋思想实验，包括《思维、大脑和程序》(*Minds, Brains and Programs*)（1980年），《思维、大脑和科学》(*Minds, Brains and Science*)（1991年），以及《心灵的再发现》(*The Rediscovery of the Mind*)（1994年）。

- 1961年，约翰·卢卡斯在一篇论文中提出了自己最初的主张，这一论文在1964年被安德森引用。罗杰·彭罗斯在《皇帝新脑》(*The Emperor's New Mind*)一书中对人工智能进行了细致全面的攻击。

- 史蒂文·莱维（Steven Levy）的《人造生命，追求新的创造》(*Artificial Life, The Quest for a New Creation*)是介绍人造生命不可多得的佳作。

- 罗德尼·布鲁克斯使用波音747寓言的论文可参考柯克项目的

细节：http://www.ai.mit.edu/people/brooks/。

- 罗德尼·布鲁克斯的新书《机器人：人类和机器的未来》(*Robot: the Future of Flesh and Machines*)（2002年）是介绍他的方法和研究的一般性读物。

- 史蒂夫·格兰德在《创造：生命和如何制造生命》(*Creation: Life and How to Make it*)（2000年）一书中阐述了自己的观点。可以通过下面的网址查看史蒂夫的进展：http://www.cyberlife-research.com/people/steve/。

通向真正的人工智能之路

A BEGINNER'S GUIDE

我们的目标是否应该是建造一台能够像你我一样思考的计算机?

你的大脑是如何工作的?

意识的三种含义都包括什么?

5
通向真正的人工智能之路

"确实如此，但是……"

当你向非专业人士介绍人工智能，临近尾声，询问大家是否有什么问题时，最有可能被问到的就是我所谓的"确实如此，但是……"问题。通常，这个问题的形式是这样的："你提到的东西确实非常有趣……但是，我们什么时候才有可能看到真正智能的计算机呢？"这是一个很难直接回答的问题。为了尊重观众的需求，演讲者通常会这么说："让我再次解释一下……"很明显这里存在一个需要联系起来的理解鸿沟。

"确实如此，但是……"问题似乎是公众想向人工智能评论者提出的主要问题之一。因此，我打算尝试直接、系统地回答这个问题。正如我们所见，人工智能研究正在稳步推进，并且产生了许多有益的产品和令人兴奋的想法。如果这不是你所谓的"真正智能"

的计算机,那么,你指的究竟是什么呢?好吧,有人可能会凭经验去猜测,你指的智能是完全像人类一样。"确实如此,但是……"问题可能意味着:"我什么时候才能遇见可以像我一样思考的计算机呢?"回答这个问题需要运用相当多的内容。

正如我们在第 1 章看到的[1],类人智能是人工智能的目标。一些对图灵测试的解读指出,即便图灵测试不是判断一台计算机是否具备智能的"黄金法则",它也是模拟人类智能的一个有益的目标。然而,我也介绍了人工智能定义的不充分性,特别是那些将机器与人类做比较的定义。当我们对人类智能所知甚少的时候,图灵测试不太可能对人工智能的发展起到促进作用。

我假设这类问题的一个合理答案应该类似于:"考虑到我们目前没有对人类智能的充分认识(回忆一下第 4 章中布鲁克斯的波音 747),谁会知道呢?我们并不清楚目标是否应该是建造一台能够像你我一样思考的计算机。"

通常,人工智能处理的是相当不同的智能,当然也不缺少人类智能。在答案中提到这些会让一些人认为我们讨论的东西与智能无关。"它要么像我一样,要么只是一台执行指令的机器。"这种说辞似乎常被挂在嘴边。我们已经看到,对于一台机器的常识观点是令人误解的。我在本书中讨论的机器并不只会执行指令。我们不仅能讨论它们拥有目标,还可以谈论它们在不同目标之间进行选择,在不同场景做出不同回应。它们拥有并可以使用知识,而且能够学习。许多人工智能圈内以及圈外的人都感觉到，它们用相对有限的方式来做这些事，但是这与我提出的理念没有什么差异。它们在做的事并非"只是执行指令"。

雪莉·特克尔（Sherry Turkle）[1] 在自己的著作中对此进行了不错的解释。雪莉·特克尔之所以对当前的讨论感兴趣，是因为她是一位执业精神治疗师，同时对人工智能有兴趣。当时，她还与麻省理工学院的一位人工智能研究领头人保持着联系。她描述了某天早晨，她如何看到一位非常沮丧的患者，因为他感觉自己的人生"像一台机器"。但是，当天晚些时候，她去参加麻省理工学院为学生和研究人员举办的一场聚会。在那里，她遇见了一个年轻女孩，女孩对机器是否能思考的讨论越发不耐烦，说道："有什么问题？我是机器，我能思考。"这名学生谈到了将机器作为一种看待自身的积极而自由的方式。

特克尔说，产生两种完全不同的反应的原因是，这里提到的"机器"有两种非常不同的含义。一方面，她沮丧的患者用"像机器"来说明他觉得自己无法控制生活。这是对19世纪机器的看法，这种机器按照预定的方式运行。他感觉到自己没有选择；齿轮一直在向前转动。另一方面，人工智能研究人员和他们的学生在讨论机器时，表达的是完全不同的意思。他们提到的机器指的是我们在本书中考虑的那种机器。这些机器有多种目标，

---

[1] 雪莉·特克尔是麻省理工学院社会学教授，哈佛大学社会学和人格心理学博士。其著作《群体性孤独》（浙江人民出版社）已由湛庐文化策划出版。——编者注

并且能够在目标之间取舍。它们可能会选择不同的方式，并且能够否定真实世界，包括其他人，以实现目标。这是一种解放，因为它显示出了一种人类选择能够产生差异的方式，甚至在一个充满确定性的科学宇宙中也是如此。人工智能为机器开启了新的可能性，这些机器能做的事不只限于执行指令。

因此，"确实如此，但是……"问题的一种含义可能只是拒绝接受"有可能存在与我们不同的智能体"的说法。这个基于19世纪机器图景的拒绝可能是错误的、有误导性的。在这场设想出的讨论中，观察力敏锐的读者可能会对我谈到智能却并未给出定义而觉得不耐烦。之后的章节中，我将对智能的定义进行讨论。

从重要性的角度来看，前面的所有章节都是在对这种"确实如此，但是……"问题做出回应。我们看到了人工智能已经产生并且仍在继续产生令人印象深刻的技术。我们已经进入了智能机器的时代。我们看到了认为"某些东西永远无法实现"的批评已经被证明是错误的。关于人类和动物大脑如何工作的精辟观点已经出现。

但是，人们并未满足。我们并不清楚科学如何提供更多解释。许多人并不信任科学在这一领域的介入。这种不信任的一个动机是，一直有人认为人类智能在某种程度上是特别的，是某些永远无法用科学理解的东西。对其他人而言，这是一场跨越边界的战斗。纵观历史，诗人和小说家已经成为人类精妙思想的权威,他们可能会对科学家希望用临床诊断、模拟、建造机器的方式来理解他们认为自己最擅长的领域而感到厌恶。然而,在这种特殊情况下,还有许多造成对科学不信任的更严肃的原因。

这些更加严肃的原因主要可以划分为两个领域:

◎ 第一个领域是所谓的"意识问题"。实际上,人们并未就这个问题本身达成共识,甚至很少有人认为这是一个问题。如果"确实如此,但是……"问题包含"意识"这个词,那么我们很难快速给出一个答案。近来,意识已经成了人工智能研究的重要领域,后面的章节将会继续对此进行讨论。

◎ 第二个领域是思想、信念等概念的主观性。这些方面是更深入地探讨"确实如此,但是……"问题的原因所在。它们也许是一些人最初感到有必要提出这个问题的原因。

在开始讨论这两个领域前,我们会稍稍跑个题。这个跑题是有意义的,因为它将带我们进入一个全新的科学领域。

认知科学是什么

大众心理学

作为一门科学,心理学的地位有些奇怪。现代心理学家倾向于认为自己与中世纪地理学家的地位相仿。如果他们的科学研究确认了人们的偏见——世界是平的，那么，他们会因为花费时间和金钱研究这种显而易见的东西而遭到批评。如果他们的研究发现了某些违背常识的事情——世界是圆的，那么，他们会因脱离现实而被忽略。

关于这点，有很多原因，但最重要的一个原因是，在日常生活中，我们都在使用表面看起来像心理学的东西来理解和预测他人会做什么。哲学家称之为"大众心理学"。有大量关于大众心理学的准确定义和其重要性的讨论。目前，我们通常会说，人们做事情是因为他们有愿望，并且相信通过做这些事，有可能达成那些愿望。为什么你在读这本书？好吧，用大众心理学的术语来讲就是，你有学习人工智能或认知科学的愿望，你相信通过阅读这些可以找到答案。（当然，无法确保你的想法一定是正确的。）如果你的下一步动作是走进厨房，将咖啡壶从碗橱里拿出来，那么一个好的解释或许是你想要喝一杯咖啡，你认为这些动作可以帮助你实现这个愿望。

大众心理学构成了我们与他人正常相处的基础。这个思想和信念的世界，能够变得比我给出的最低限度的描述更加复杂。它构成了艺术和文学的基础。实际上，我们可以说，剧本只是人与人之间或同一个人心中愿望和信念的冲突。大众心理学同样也是规则和惩罚的不同系统的基础。问题在于，它似乎不是很科学。如果你去解剖大脑，或者在扫描仪下观察活体大脑，那么你永远找不到信念。我们能够度量人们实际会做什么，但是，了解他们信念的唯一途径就是去询问他们，尽管常识告诉我们这并不可靠。我们发现，人们表达出的信念和他们实际做的事情之间，存在诸多不同。说人们明显拥有信念就好比在说地球明显是平的一样。精准的科学度量能够证明，地球实际上不是平的。由于这个原因，科学心理学一定要打起十二分精神来对待大众心理学。

哲学家都认可大众心理学的重要性，但是他们达成的一致也仅止步于此。一些人认为，大众心理学是一门成熟的心理学理论，还有一些人认为，科学家的工作就是将它建立在其他科学的基础上。例如，证明大脑中的电气和化学过程如何使大脑形成信念和愿望。一些人认为，大众心理学只是看上去像科学理论，它不过比"有同理心并将自己放在他人位置上"的人类能力稍强一些。仍有其他人在说，当我们拥有真正科学的心理学时，所有这些关于信念、愿望，甚至是意识的讨论都将消失，如同地理学中认为"地球是平的"的观点一样。这其中包括许多困难问题。

然而，我们在这里的主要担忧是，人工智能将以何种方式来匹配这个故事。20世纪上半叶，大众心理学和常识的主要科学挑战来自一种名为"行为主义"的心理学研究方法。这种方法认为，大众心理学和常识是毫无科学依据的。相反，它宣称，唯一科学的解释人类行为的方式，应该根据输入和输出的组合来进行分析。人们受到"刺激",随后做出"反馈"。科学心理学不过是度量并记录这些"刺激－反馈"对。行为学家提出,所有讨论人们可能会相信什么、有什么愿望或想法的东西,都不是科学心理学的内容。他们认为,在最理想的情况下,人类大脑是一个"黑匣子"。科学家可以度量大脑输入和输出的东西(刺激和反馈)。他们宣称,讨论在刺激和反馈之间发生的东西不是科学心理学关注的范畴。

认知科学的诞生,一部分是出于反对行为主义。人工智能对认知科学的产生起到了关键作用。工程师和人工智能科学家细致地描述了机器内部发生的过程,以此来证明计算机不是行为学家口中的黑匣子。例如,他们经常提到,程序或机器人拥有"目标"。目标可以是它正试图实现的东西,或者是体现在它行为中的东西,也可能是与程序或机器人内部运转相关的东西。假设你将自己的家用机器人派到厨房帮你取咖啡,它的内部寄存器就会因此获得"将咖啡设置为目标"的内容。如果我们询问为什么它会走到碗橱边并取出咖啡壶,那么答案肯定与大众心理学对类似的人类行为做出的解释相差十万八千里。

这开启了一扇门,而且是一扇非常重要的门。如果身处另一个科学分支的人们,使用类似于我们在研究人类时使用过的术语,那么认为这些术语"完全不科学"的观点就站不住脚了。至少,我们会将计算机视作信息处理设备。如果我们允许机器迈出这一小步,那么就不必再将人类视作黑匣子。在科学意义上，将人类视作信息处理设备就变得可以接受了。

将心理学从过度热心的行为主义中解放出来的这一小步迈出后，人工智能和认知科学之间的关系变得更加错综复杂。许多人变得有些得意忘形，因此引发了一些担忧。承认"将人类描述为信息处理设备"在科学上可以接受，但并不意味着人类真的是信息处理设备。这点有待证明。即便这个观点得到证实，也不代表这些是人类的全部。大众心理学中的信念和愿望仍然不等价于计算机程序。这一来自人工智能的启发就是所谓的"计算隐喻"，而且我们有必要记住，它只是一个隐喻。

认知科学

认知科学是什么，很难表述清楚。关于这门崭新科学的范畴和方法的争论不绝于耳。所有人都在艰难推进却收获甚微的时候，托马斯·库恩（Thomas Kuhn）在最为著名的一本科学著作中[1]区分了科学革命中发生的事件和所谓的"普通科学"中发生的事件。当一次科学革命发生时——这就是库恩所谓的范式改变，科学家不光会发现研究自己所在领域的新方法，关键术语的含义也会随之发生改变。因此，当科学家从牛顿范式转变到爱因斯坦范式时，他们不会简单地判断，宇宙与他们之前认为的样子并不一样。物理学中一些最重要的概念，比如"空间""时间"和"质量"，这些词的含义都发生了改变。在认知科学的例子中，革命方兴未艾，许多重要术语仍有待定义。我为何推迟在本章中给出智能的定义，这是一个重要原因。如果我在一开始就给出了定义，这会令我局限于单一观点，结果就会产生一本截然不同的书。无疑这会让我们无法畅游思考这一领域中的各种不同方法。

我希望现在读者们已经理解了，为什么关于认知科学的定义，甚至更多关于它研究什么和研究它的正确方法存在许多分歧。然而，这种分歧并不是一个领域处于混乱状态的表现。它恰恰体现了一门科学正处在创造新想法、探索世界新方法的兴奋状态中。它也意味着，如同人工智能一样，认知科学是一项跨学科活动。至少，它包含心理学家、神经生物学家、语言学家、计算机科学家和哲学家的工作。

认知科学同样有望成为我们需要的，关于"人类、动物、机器和外星人"的科学。在这种意义上，认知科学所处的地位与空气动力学在人造飞行器中的地位相仿。作为一门新兴科学，它无法告诉我们很多智能空气动力学的内容，然而，这其中的可能性是无限的。历史上，空气动力学和建造航天器的工程企业并驾齐驱，共同进步。1904 年，德国数学家路德维希·普朗特（Ludwig Prantl）发表了支撑现代空气动力学理论发展的关键科学论文。这仅仅是在莱特兄弟成功完成了首次飞行的一年后。

关于智能行为的一般科学的发展，不只满足了科学对于人类智能如何工作的好奇，可能还会催生不少潜在的实际利益。随着逐渐深入地理解智能行为，我们或许也能为计算机或其他机器制造更好的接口。无论对人类，还是对我个人，这都有极大的好处。目前，我正在使用三个设备：QWERTY 键盘、鼠标和显示器，即便使用方法正确，这些设备也有可能对使用者造成伤害。

如果我们能更透彻地理解人类智能行为科学，或许就能够改善我们正在使用的决策支持技术。人工智能研究的一个重要领域就是所谓的"决策支持系统"。因为常常会受累于领导者的糟糕决策，获益于好的决策，所以我们应该非常欢迎人工智能帮助进行决策。对用来支持教育和学习的技术而言，情况也是如此。目前，它常常无法达到人们的预期。正如我们所见，原因是，在某些人试图制造人工智能来实现这点之前，教育和学习已被证明远比我们想象的要复杂。认知科学有望解释教育和学习的过程，这可能会催生更加有效的技术。

认知科学已经对人类心理学产生了巨大影响。尽管它最早只能追溯到 20 世纪 70 年代，至少在英语世界如此，它已经成了科学心理学的主要研究方式。通过输出观点而非产生有效的技术，认知科学已经成为人工智能影响科学和社会的最重要的方法。人工智能已经催生了技术，但是向其他学科输出观点可能更加重要。

我认为，我们似乎处在事物发展的初始阶段。我将认知科学描述为新兴科学，或者说它仍处于库恩式革命的阵痛中，这种描述方式影响了人工智能的全部。这是参与其中的好时机。

图灵测试是什么

在最初的论文中,阿兰·图灵清晰地阐释了,到了2000年,计算机能够很好地进行模仿游戏,一般提问者只有30%的概率判断出哪个参与者是人类,哪个是计算机。如果访问第1章拓展阅读部分的网址,你会发现,勒布纳奖最近的得主虽然表面上令人印象深刻,但它们从未真正通过完整的图灵测试。

图灵测试不是当前人工智能研究的核心焦点,并且我们有很好的理由解释为什么它不应该是核心[2]。但是,我们也有理由解释为什么人工智能研究可能会回归到人类智能。对人工智能领域的部分研究人员和认知科学领域的大部分人来说,最有趣的问题只是理解人类智能的难题。

如果人工智能能够向我们揭示什么,那一定是我们对自身智能的理解是极度受限的。每天都在使用它,并不意味着我们已经充分理解了它是如何工作的。

意识是什么

当我们研究"确实如此,但是……"问题时,有两个问题被忽视了,分别是主观性问题和意识问题。出于完整性的考虑,这部分将试图简单介绍关于这两个问题的大量深入讨论。正如讨论本身一样,这一小节并无定论,对这些问题没有特别兴趣的读者可以略过这部分。

在日常讨论中，我们提到的"conscious"（有意识）通常有三种含义：

◎ 第一种含义与睡眠相对，即清醒的，也就是麻醉师所谓的有意识。

◎ 第二种含义是"有自我意识的"。比如，"这一刻，我意识到，我对即将在旧金山这种天气情况下着陆感到多么焦虑"。

◎ 第三种含义是更加困难的，而且在"确实如此，但是……"问题中经常听到。那就是："你也许能够将那些植入机器人里，但是，它仍然无法拥有意识。"

意识的前两个含义似乎不会给人工智能造成任何困扰，至少在理论上如此。某些将机器人开启和关闭的观点，将会符合麻醉师的定义。对于自我意识，我们可以说，我正在使用的计算机包含了能够查看其他程序的程序，可以显示它在各种进程上分别花费了多长时间。理论上，打造自我意识已经实现。只是"理论上"如此，因为如我们所见，人工智能研究人员在处理意识的前两个含义时，必须解决许多实际问题。实际上，我们之所以选中第二个例子，是因为做出"恶劣的天气情况下，不选择在旧金山着陆，而是返航回到默塞德"的决策，是现代决策支持系统的目标所在。在航行及其他许多领域，快速做出决策固然重要，但同样需要考虑大量不同的相关信息。在决策自动化领域，人工智能正稳步前进。

"有意识"的第三种含义更难用简单的术语来解释。1974年，哲学家托马斯·内格尔（Thomas Nagel）发表了一篇里程碑式的论文，他在文中指出，我们的主观经验中存在一些科学永远无法捕获的东西[3]。笼统地说，这种东西是"使你成为你，并且只能成为你"的东西。根据内格尔的观点，科学之所以永远无法告诉我们这些东西，是因为科学是找出一般规则的工作。而现在，使你成为你的东西，可能是一般性的对立面，在这一时刻，它对你而言是独特的。

目前，在这一领域有许多讨论，哲学家是主要参与者，神经科学家、机器人制造者和数学家也希望参与其中。一些人认为，目前来看，不存在所谓的"让你成为你"的东西。它只是一个"有用的幻想"，让你照顾好自己，在世界中规划你的活动。其他人认为，有可能存在这样的东西，它让你成为你，但实际上，它与其他东西没有任何差异。一台机器人或者一个拥有智能的外星人，也能够拥有你所有的心理活动，而且无须拥有第三种意义上的意识。但仍有一些人认为，这个东西是真实存在的，它确实会产生影响。对这一领域感兴趣的读者可以继续研究拓展阅读部分，因为本节内容只是这个非常宏大且活跃的讨论的一个概述。

关于人工智能和认知科学的这场大讨论的影响，同样很难下定论。人工智能在"它是否真实存在""它是否有影响"的不同立场上产生了什么影响，人们对此也有很多不同观点。一些哲学家认为它是真实存在的，并且是有影响力的，因此人工智能研究完全是在浪费时间。人工智能领域的大多数人都会回应，无论它是否真实存在，是否有影响力，这都应该是通过实验确定的问题，而非听信哲学家的言之凿凿。一些人认为，只有拥有自然进化历史的东西，才能以人类的方式获得意识。他们中许多人因此对模拟进化趋之若鹜，将其视作设计机器人的方法，我们在第 3 章讨论过这部分内容。

另一方面，如果意识既不会产生影响，又不是"有用的幻想"，那么（至少在理论上），我们就能制造出智能机器，而无须永远被关于意识的讨论拖累。然而，甚至在这部分，人们也没有达成一致。人工智能领域的一些人提出，意识是一种"偶然属性"。这就好比在说，虽然我们没有办法将它设计到机器人里，如果机器人足够复杂，或者对环境有正确的交互，或者二者兼备，那么，意识就会出现。相信这点非常令人兴奋，因为它是对第 4 章提到的"制造和希望"方法的理想哲学辩护。"制造和希望"可能听起来有些像在喊口号，但是，这种方法得到了验证。一种将这个宽泛的哲学讨论带到实际中的方法是进行一些相关实验。1903 年，当奥维尔·莱特（Orville Wright）在基蒂霍克完成首次飞行时，"飞行是不可能的"观点就这样在一次确定性实验中被证明是错误的。当然，判断一架飞行器是否能够飞行，要比判断一台机器是否具有意识直观得多。

将主观性问题添加到第三个问题中会使其变得更加困难。如果内格尔的考虑或多或少是正确的,那么我们就只能从主观角度体验这种意识。换言之,只有机器人自己能够真正知道,它是否真的具有意识。

我可以对这种可能性进行补充。几年前,我在一所英国大学的职责包括关闭人工智能实验室的计算机。当我进行这项工作时,总有一台机器在大声吼道:"不!别关我,我已经有意识了。"在关闭这台机器时,我从未有过一丝犹豫,我确定听到的不过是一个本科生的恶作剧,而非人工智能领域的进步。如果有人工智能研究人员提出关于主观意识的类似主张,我的反应也会是一样的。

智能是什么

我在本书中几次提到,会稍后给出"智能"的比较完整的定义。我希望大多数读者没有作弊——先读这一部分,因为我在这里提到的东西,大部分依赖于前面的内容。在本书展开的过程中,我已经提到许多关于智能的重要启示。

读懂人工智能

智能行为可以被解释吗

我用航空业的发展史来进行类比,以此作为理解人工智能和认知科学领域中发生事件的方法。现在，人们做出的一般性科学考虑是，未来的某一天，人类、动物和机器的智能行为（以及可能存在的外星人的智能行为）将会得到解释。将会出现一个一般性的科学分支，像空气动力学之于飞行一样，为我们答疑解惑。现在，我们知道鸟儿、昆虫和飞盘都必须遵守空气动力学的一般科学法则。

当然，智能行为远比飞行复杂。制造这种"智能的空气动力学"并不容易。尽管这项工作仍处在早期阶段，但它已经起步。因为在一个崭新的科学领域很容易迷失方向，我已经提到和将要提到的大部分内容都是经过审慎考虑的。

你也许听说过约翰·塞尔提出的"强人工智能"和"弱人工智能"的区别（第4章的"中文屋"），对我而言，我一直将本书定位在"弱人工智能"阵营。人工智能已经催生了关于人类思想的精辟观点，未来依然会继续前进。但是，人工智能和它的不断进步并不包括制造"像你一样思考"的东西。而且，我开始相信，即便（我已经解释过为什么这极不可能）某一天，人造机器能够真正通过图灵测试，它可能仍然不会像你一样思考。

因此，你可能会问，为什么我要用"思考"一词来讨论这个未来可能实现的设备。好吧，为人类和人类做事的特别方式预留这些词太过傲慢，用技术术语来说是"以人类为中心的"。电子计算器使用了各种不同的材料，而人类计算也用了非常不同的方式执行任务，但它们仍在执行同一个任务。对智能而言，同样如此。无论我什么时候使用这个词，大多数读者都会考虑他们自己的智能，尽管我敦促他们不要这样做。我们再次发现，在智能问题上，以人类为中心并无益处。或许，对思考智能最没有帮助的方法就是考虑IQ，即所谓的智商。

IQ尤其没有帮助的原因是，它将智能视作单一物质，认为智能是一维的。通过单一数值来描述智能是非常有误导性的。IQ测试同样倾向于度量解决抽象问题的能力。正如我们已经看到的，机器人制造者对避免撞到家具的能力更感兴趣，而不是解决抽象问题的能力。这两种截然不同的表述只是智能拼图的两小块。我们能够从人工智能中得到的一个启示是，像智能这么复杂的多维现象，无法使用单一数值去描述。当我们使用行为的"智能"这个词时，我们并未讨论单一性质。

抽象问题的解决也只是冰山一角。不要忘记环境和情景机器人学的启示，这点相当重要。如果我们对避开家具而非下国际象棋更感兴趣，就会出现一种非常不同的智能行为观点。将这两种考虑放在一个框架内无疑是一个挑战，但我们需要面对这个挑战。

请回想一下布鲁克斯关于波音747的比喻。无论我们在何时谈起智能，都有很大的力量诱惑我们去思考人类智能。在过

5
通向真正的人工智能之路

去数年间,人工智能无疑证明了一件事:人类智能确实非常伟大。在我们周围和我们内部,一直能看到人类智能的力量、灵活、创造性以及它"引导我们在起居室内走动而不会碰到家具"的能力的证据。这远超目前的科学和技术的发展水平,它能做的不多,但可以惊艳到严肃的科学家。目前,我们能够用计算机和机器人实现的东西与人类的智能行为相比,就像风筝之于波音 747 飞机。

不要太认真地研究人类,还有另外一个有趣的原因。一些关于人类智能进化的观点认为,大部分人类智能尚未进化到满足纯粹的功能性需求[4]。产生这种观点的原因是,人类智能可能像孔雀那巨大壮观的尾巴一样。孔雀的尾巴并不能帮助它飞翔、搏斗或觅食。实际上,从空气动力学角度来看,孔雀的尾巴是所有上述问题的一个严重的阻碍。它存在的意义是帮助孔雀求偶。进化后,雌孔雀根据雄孔雀尾巴的大小来择偶。对人类而言,大多数行为,特别是有关音乐、诗歌等,都是这种择偶过程的产物。如果情况确实如此,当制造人工智能时,让我们分心的就不只是力量和灵活性。我们研究人类智能时看到的大部分东西都类似孔雀的尾巴,它们并不会帮我们搏斗、觅食和生存,而是帮我们吸引伴侣。在这种情况下,研究它的唯一原因是,科学家对我们自身感到好奇。除非我们对给性产业制造机器人感兴趣,技术人员应该没有什么理由去模拟这些东西。

人工智能确实是人造的。到目前为止的尝试告诉我们,人工智能看起来与自然智能截然不同。然而，它仍然是智能。一个会飞的水果与一架波音 747 有多少相似之处？

章后总结

1. 许多人工智能圈内以及圈外的人都感觉到，它们用相对有限的方式来做这些事，但是这与我提出的理念没有什么差异。它们在做的事并非"只是执行指令"。

2. 承认"将人类描述为信息处理设备"在科学上可以接受，但并不意味着人类真的是信息处理设备。

3. 如同人工智能一样，认知科学是一项跨学科活动。至少，它包含心理学家、神经生物学家、语言学家、计算机科学家和哲学家的工作。

4. 认知科学有望解释教育和学习的过程，这可能会催生更加有效的技术。

5. 图灵测试不是当前人工智能研究的核心焦点，并且我们有很好的理由解释为什么它不应该是核心。但是，我们也有理由解释为什么人工智能研究可能会回归到人类智能。对人工智能领域的部分研究人员和认知科学领域的大部分人来说，最有趣的问题只是理解人类智能的难题。

6. 如果人工智能能够向我们揭示什么，那一定是我们对自身智能的理解是极度受限的。

7. 人工智能确实是人造的。到目前为止的尝试告诉我们，人工智能看起来与自然智能截然不同。然而，它仍然是智能。

● **拓展阅读**

- 如果你对理解人类智能和人工智能之间的差异感兴趣,那么杰弗里·米勒(Geoffrey Miller)的《求偶心理》(*The Mating Mind*)是一个不错的起点。

- 在过去 10 年间,意识已经成了一个很大的跨学科研究领域。如果你想要深入研究,我认为丹尼尔·丹尼特的《意识的解释》(*Consciousness Explained*)是一个切入点。

- 辛·欧努兰(Sean O Nuallain)的《探寻思想:认知科学新基础》(*The Search for Mind, A New Foundation for Cognitive Science*)(2002 年)采用了与计算隐喻不同的方法,描绘了人类情绪。

- 罗伯特·哈尼什(Robert Harnish)的《思维、大脑和计算机》(*Minds, Brains, and Computers*)(2002 年)很好地概述了认知科学及其与人工智能的关系。

人工智能应有益于人类

A BEGINNER'S GUIDE

机器正变得越来越聪明，它们会对人类构成巨大的威胁吗？

机器人会取代人类吗？

下一个"莫扎特""玛丽莲·梦露"会是人工智能吗？

6 人工智能应有益于人类

本章首先会考虑人工智能对社会整体的影响。尽管关于人工智能，无疑需要一场公开大讨论，但一般而言，人工智能其实是一种良性技术。其次，本章将探讨一个略微令人惊讶的领域，即人工智能在艺术中的应用，在这里，人类和人工智能技术相互交融。最后，我们会展望未来，探讨人工智能自身的前景。

像电力一样颠覆社会

几乎所有技术都会改变接纳它们的人和社会，通常会超出所有人的认知。本书的绝大部分读者，如果被时间机器送到工业化以前的社会，都会像离开水的鱼儿一样。可能，只有极少数人能够打猎，种植出充足的食物，更不用说建造合适的住所了。

现代化农业、道路、电话、火车等意味着我们的生活与祖先截然不同。我们都是技术的产物，而非单纯的受益人。这就是说，我们通常根据技术定义我们自身和自身的角色。这种情况不仅在用技术术语描述自身时是正确的，当我们说，我们在开车、航行或画油画的时候亦是如此。现在，大多数人消遣的方式对原始社会的居民而言没有实际意义。我们倾向于观看大量电视节目，通过手机和电子邮件进行交流。

作为一项技术，人工智能可能产生的影响与先前的技术所造成的影响一样巨大。人工智能的一个重要不同之处在于，它也会对我们思考自身的方式产生影响。本章结尾部分，我们将关注人工智能输出思想的方式，以及它观察世界的截然不同的方法。然而，这种思想和技术的融合体，同样塑造了人工智能对社会整体的影响。

人工智能的黄金时代

一个一般性经济原理提出，在过渡期，新技术通常只会诱发失业。过渡期后，新技术的广泛应用将带来更高级的经济活动和就业岗位。当然，在这个过渡期内必然存在切实的破坏和苦难。

跟随过渡期而来的更高级的经济活动和就业形势，通常不会回归到这项技术引入前存在的就业模式。与先前存在的工作和市场截然不同的新工作和新市场会出现。在信息技术时代，这样的变化无疑已经发生。为什么我们希望人工智能与这种一般模式不同呢？

一些人确实认为人工智能是不同的。在第一次工业革命中，机器取代了大量手工劳动。在信息技术革命中，机器取代了大量日常管理工作。例如，在今天的自动化社会中，人们不会看到招聘档案管理员的广告。许多人认为人工智能技术将会取代人类做更有挑战性的智力工作，例如决策制定，医疗诊断，甚至是教育。

我们要说的第一点是，当前的技术对经理、医生和教师不构成任何真正的就业威胁。诚然，人工智能为现代化管理、医疗和教育做出了巨大贡献，但它并未导致大规模的人员冗余，在可预见的未来依然如此。

第二个或许也是更有趣的一个问题是，当前的和可预见的人工智能技术似乎更擅长取代高度专业化的岗位，而非一般性或更具人类特征的岗位。以医疗领域为例，我们在第 2 章中看到，打造能够超越人类医疗专家的人工智能系统是可行的，至少在专业领域如此。如果说医疗专家依赖其在一个相对狭窄领域的详尽知识来获得岗位和升职（正如许多咨询医师所做的），那么他们应该比一个普通执业医生更担忧来自人工智能的威胁。在工作中使用大量一般性知识和人类交互技巧的医疗专家，受到人工智能技术的威胁更少。

最后一个问题显而易见，但仍然值得一提，那就是我们并不缺少人类智能。我个人认为，技术应该改善人类生活，因为取代人类智能对我来说并不是一个有吸引力的进步。正如我们所见，这样根本无利可图，而且毫无意义。人工智能已经有许多可以丰富人类生活的应用，并且它也应该被引导向这些应用的方向发展。

人工智能技术使用的黄金场景是，它将使人类变得更加高效、智能。正如挖掘机大幅度提高了人类的挖掘产量，"机械化"知识的操纵工具，比如数据挖掘，也会大幅度提高一个人能够完成的智力挖掘的工作量。人工智能可以充当我们所有人的"智力放大器"。使用机器帮助我们操纵知识和思想，将使我们变得更加聪明。

然而，这种美妙的前景也存在疑云。人类历史反复告诫我们，掌握权力的人群不希望那些被他们施以这些权力的人思考太多。甚至，信息技术产业的短暂历史也展示出，信息技术以牺牲底层架构为代价来增强执行和管理活动。数据挖掘是一个非常强大的技术，却经常被那些掌权者用来描绘消费者和投票者，而非被消费者和投票者使用。本书的许多读者可能会产生警觉，如果他们知道自己的消费和其他习惯已经被精确地描述。人工智能技术可以通过这些描绘做出极为精准的预测。

对于人工智能技术的使用，开展更多更广泛的公共讨论将十分有益。因为它是一项强大的技术，能够明显地扩大拥有这种力量和不具备这种力量的人群之间的差异。在局部范围内确实如此，比如一家公司的经理可以监视键盘活动、通话记录、电子邮件以及员工的其他活动。他们可以使用数据挖掘来对顾客、员工和潜在应聘者进行描绘。我们尚不清楚，人工智能技术能否对消费者或员工产生同等程度的好处。这或许会打破公司内部的力量平衡。

放眼全球，人工智能同样扩大了掌握这种技术的国家和未掌握这种技术的国家之间的差距。人工智能研究的经费，绝大部分直接或间接地来自一些富裕国家军方提供的经济支持。军方支持人工智能研究，因为这是一项强大的技术。它对军事操作现代化的贡献并不明显，但确确实实存在。人工智能能够继续在计划、逻辑、通信和决策支持领域做出贡献。人工智能在这些领域的贡献非常突出，使得这些部署了人工智能的国家在军事上比其他国家更加高效。

像所有技术一样，人工智能可以被用于造福社会，而非给社会带来负面影响。相比同时代的产物，比如核弹和基因编辑，整体来看，人工智能似乎更加无害。然而，还有一些重要的社会问题有待考量，特别是谁将受益，谁将受害。与人们经常讨论的机器接管世界的可能性不同，它迫在眉睫，又真实存在。

机器人将会统治世界？

有许多关于机器人统治世界的恐怖故事。实际上，"机器人"

这个词的出现还要归功于其中最早的一个故事，那是卡雷尔·恰佩克（Carel Kapek）在1920年创作的故事。这些故事如同艺术一样前卫，它们的大部分功能是讲述我们自身和我们的恐惧。当它们变得像严谨的预测一样时，就会很有误导性。

我希望读者可以明白，本书中讨论的所有技术都不可能统治一个档案柜，更不用说在可预见的未来统治世界。即便它们开始展现出这种能力，我们也可以拔掉它们的电源。那么，为什么这种机器人统治世界的故事能够经久不衰呢？

据说一些人将机器人接管世界看作一件非常正面的事，例如前沿学者汉斯·莫拉维克（Hans Moravec）。自1980年以来，他一直在卡内基梅隆大学制造机器人，将机器人在20世纪末取代人类视作积极事件。他提出，它们是我们的"心智孩童"（Mind Children），并且会像好孩子一样，帮我们准备退休。它们也将化作勇敢的先驱，将我们的文化或者至少是我们的记忆带入太空。

莫拉维克希望未来的人工智能研究速度比20世纪更快。在不久的将来，似乎不可能出现机器人以他所描述的方式超越人类智能的图景。另外，莫拉维克和其他讨论机器超越人类的作家通常会忽略，人类是一定程度上的"移动目标"（moving target）。这些作家提出，直到石器时代人类智能才开始发育，其实，严格意义上这个观点并不正确。人类已经适应了农业社会、工业社会，之后是后工业社会，并且到目前为止，展现出了足以适应机器智能时代的能力。我们的技术并不是我们需要与之竞争的事物。它与我们是一种相互依赖、相互协作的关系，用生物学术语来说是"共生"（symbiosis）。人工智能与艺术的交叉领域可以见到这种奇妙的关系，下一节我们将进行简要探讨。

在不久的未来，尽管机器无疑会变得更加聪明，但它们似乎不会对人类构成大的威胁。人类将倾向于使用人工智能来放大他们自身的智能，正如我们今天使用 IT 技术的方式。这可能会给予某些团体和国家更大的力量，但它也将使大多数人获得比他们今天拥有的更多的能力。

你可能会问："遥远的未来会是什么样？"好吧，如果我们看得足够远，那么，几乎万事皆有可能，但即便如此，机器人取代人类仍然是遥不可及的。讲述这类恐怖故事的人通常都会掩饰这个事件的发生过程。例如，事实证明，我们通常无法拔掉电源，因为机器人变得太聪明、动作太迅速。在一些故事中，一个疯狂的军事组织会制造终极毁灭机器人。有时候，作家只会做出这样的推断：机器变得越来越聪明，而人类将继续停留在当前水平。

我们真的无法忽视机器人可能取代人类的细节。机器人可能在未来取代人类的过程是怎样的，这一点非常重要，因为它决定了我们将采取哪些防范措施。一旦这类故事的支持者敲定了这些故事的发生细节（一个特立独行的研究人员，一个军事必需品，人类没落）之后，我们能做什么，以及应该如何避免这种情况，就会变得显而易见。没有什么事是无法避免的。人类能够并且应该采取措施，从科学上控制有风险的研发。我们可能需要检查并改变军事研究的政治控制。但是，这些其实是关于我们希望如何生活的政治决策，在这类决策中，人工智能似乎是一个无辜的党派。

然而，有一个更加重要且令人信服的说法告诉我们，为什么无须担忧机器人控制世界。因为这不是它们被设计来完成的事情。现在，许多事物确实被设计用来接管世界。以雏菊为例，它们的进化史已经对其"编程"，试图"殖民"地球上的所有可用空间，并且它们在不断重复这一过程。从非常实际的角度来看，进化让雏菊总是在争夺更多资源。单细胞生物，例如细菌，在这方面甚至更加危险，它们不仅被编程接管所有可用空间，甚至会在这一过程中杀死全部人类。相对而言，机器人没有被编程或进化为任何一种威胁。而且，相比于雏菊和细菌，我们能更好地了解和控制机器人，真的没什么可担心的。

即使机器人无法接管世界，也并不意味着我们与机器人之间不存在什么严肃问题。实际上，当问到我们如何与聪明的（甚至智能的）机器人共存时，就会出现一系列社会、法律和道德问题。

人工智能领域研究者与科幻作家常常在茶余饭后讨论的一个问题可能是机器人取代人类的对立面，即人类是否会系统性地虐待机器人。如果（这是一个尚未满足的条件）我们制造出能够感知真实痛苦的机器，那么虐待它们就是错误的。再者，这似乎不是一个亟待解决的问题，我们仍可以采取措施来防患于未然。这些措施中最重要的一步或许是立法，禁止制造能够感知痛苦的机器。一些人认为，事情不会像我们想象的那么简单，只有拥有了感知真实的快乐和痛苦的能力，机器才能实现真正意义上的智能。从科学角度而言，我们尚未揭晓智能的本质。

然而，科学已经告诉我们的一件事情是，人类有变得残暴的倾向，因此，这个问题有比机器人取代人类的问题更加严重的可能性。即便事实证明，人类能够阻止"将真实痛苦的感知植入某些机器"，依旧存在这样的担忧：人们也可能通过一项法律去纵容人类虐待机器人。这里的担忧是我们将宽恕人类实施的残忍行为。类似的担忧还有人类可能将人工智能应用于性产业，本章最后一节将会讨论这个问题。

已经有数以百万计的年轻人和成年人将射击和屠戮计算机生成的角色作为消遣活动。计算机游戏产业比好莱坞电影产业的利润更高，名为"杀光一切"的游戏持续热卖，证明它已经挖掘了一项重要的人类需求。计算机游戏变得更加暴力、真实，这种趋势本身就令人担忧，并且人工智能几乎会毫无悬念地被引入其中。计算机游戏产业正在发生这样的现象：聪明的技术人员在开发更像活人的游戏对手——通常包括人工智能，以便人类能够进行杀戮和破坏。如果这是人类的待客之道，那么机器人的前景就不那么乐观了。

下一个"莫扎特"会是人工智能吗

在西方文化中，艺术和科学之间有一种错误的分歧。人们通常认为这两种观察世界的方式大相径庭，而实际上，它们之间是共通的。人工智能和艺术之间的交互为我们提供了一种有趣的解释。有很多使用了人工智能和艺术交叉方法的想法和技术：

◎ 首先，艺术家使用人工智能程序和机器人来创作各种艺术作品。

◎ 其次，许多人工智能研究人员关注艺术领域，以期更好地理解一般情况下的智能运转方式。

在很多方面，这两种跨界都存在。在第一类情况中，有许多人试图使用人工智能程序编写故事和诗歌。这些程序一般以知识为基础。乍看之下，将创造性视为基于知识的活动似乎有些奇怪，然而，这是流传在这一领域中跨越艺术和科学隔阂的重要思想之一。例如，职业爵士乐手保罗·霍奇森（Paul Hodgson）编写了一个名为 Improviser 的程序。这个程序能够按照查理·帕克（Charlie Parker）的风格实时演奏即兴爵士乐。

这个程序的一个有趣之处在于，它包含了西方音乐中广泛使用的和弦结构知识。"即兴爵士乐不是打破了这些规则吗？"你可能会问。好吧，确实如此，但事实证明，关于这些规则的知识对创造性地打破这些规则而言是必要的。

许多人已经编写出程序来生成诗歌。我希望通过本书，读者将看到这种工作的动机不是取代人类艺术家，更多的是探索隐藏在此类艺术创作背后的人类复杂规则。我必须承认，计算机生成的诗歌并没有人类创作的那么动人。但是，我同样必须承认，计算机生成的诗歌质量正在慢慢变好。对计算机编写的故事而言，我也会给出类似的评价。

如果可以，我们应该从多大程度上相信计算机创作的故事、诗歌和爵士乐，这是一个有趣的问题。或许，所有的赞誉都应该给予实现了这些规则的程序员。这个问题没有简单的答案。一方面，我们应该说，程序员只是将人工智能作为工具，来加强他们自身的创造性。另一方面，我们也可以说，霍奇森只是教会 Improviser 演奏爵士乐，在任意给定场合，程序会演奏出什么样的旋律，他无法直接控制。事实或许隐藏在两个方面交叉的困难地带。我坚信，最好的人工智能艺术作品总是与专业的艺术家有关，这点毋庸置疑。但是在这种情况下，艺术家通常也会说，他们并非只是将计算机视作工具。从这里，我们能窥见令人着迷的人类与人工智能共生的端倪。

至此，我们已经考虑了基于知识的人工智能研究方法，然而，进化计算的崛起同样见证了基于进化技术的艺术作品的发展。如果类似遗传算法的程序被用于生成模式，例如在画布上或声音中，它们通常就会十分精致与美丽。某种程度上来讲，原因之一是它们在追寻自然生命的数学原理。艺术家开始探索多种可能性。在这种情况下，可能更难说计算机只是一个工具，因为这些模式本身就在以非常类似自然进化的方式进化。当艺术家在虚拟环境中进化生物虚拟，随后使用这些生物活动来创造艺术模式时，发生了一个有趣的扭曲。在这种情况下，人类创造者距离大功告成还很远。

许多现代艺术家同样注意到了人工智能的发展，并且用令人兴奋、发人深省的方式，将其整合入自己的作品中。当代人工智能不仅是科幻作品中反复出现的主题，在小说中也常被提及。小说家们经常将我们的工作场所设置为环境，因为我的同事和我也常常阅读与人工智能有关的小说，试图找出情节中出现的人格。然而，从人工智能中汲取灵感的最发人深省的当代艺术家之一，是澳大利亚行为表演艺术家斯特拉瑞克（Stelarc）。

斯特拉瑞克将这种与人工智能共生的概念发扬光大，他展出了许多展品，这些展品审慎地挑战了我们对"何处是肉体终结，何处是技术开端"的想法。他用不同的方式将自己的躯体整合进这些展品中。

我个人最喜欢的一个展品是，他使用来自腹部和腿部的电信号控制机器人手臂，而他自己的手臂，则完全由一个用电极连接到皮肤的触屏刺激系统产生的信号控制。这样一来，我们就看到了一个人类控制下的机械手臂和一个机器控制下的人类手臂（见图 6-1）。

图 6-1　斯特拉瑞克的艺术装置

预测未来十分愚蠢

预测科学和技术的未来是一件非常危险的事情。在人工智能等相对新兴的科学和技术领域，这么做相当愚蠢。我建议做的事情是概括目前正在进行的一些研究。即便这看起来可能并不完整，因为许多人将尝试尚未公布的新想法。并且一些军事领域的人工智能研究周围可能竖起了一道坚固的城墙。到目前为止，读者应该对人工智能产生足够清晰的一般性图景，以便去了解诸多研究流派（有些使用了十分小众的方法），因为即便是最有名的评论员也可能忽略一些事情。在人工智能研究中，人们的兴趣各有不同，工作方式大相径庭。实际上，我的真实希望是，一些读者会从本书的内容中受到启发，探索属于他们自己的新想法。

人工智能的最前沿

首先，第1~4章描述的各类研究将继续。这些研究并不都是人工智能的最前沿成果——人工智能的前沿意识令人恐惧。但我们应该充分了解，这些研究都能奏效。实际上，许多研究成绩斐然，它们更多地被视为技术而非科学。先进工业社会中的绝大多数人，每天都在使用人工智能技术，但他们并不知晓。例如，你在手机上拨打号码，接通电话，这就是你所看到的。而我们通常看不到根据需求分配线路的人工智能程序。但这只是人工智能已经发展成一项技术的标志。好技术通常都是"隐形的"。我在第2章提到，计算机时代的人们，大多将搜索技术视作自己的领域，而非人工智能领域。我个人认为，作为历史问题，所有现代计算机科学都源自人工智能。人工智能是一切的起源。

当人类制造出首批电子计算机时，设计者常常将这些机器称作"电子脑"（electronic brains）。事实上，在现代电子计算机普及之前，"computer"这个词一直指代执行计算任务的人类。

6
人工智能应有益于人类

早在现代信息产业将"计算"作为描述电子归档和信息传递的词之前，图灵及他在布莱切利园和普林斯顿大学的同事就已经在讨论复制人类的智能行为了。

人工智能孕育了许多后来成为计算组成部分的理念。分时（time-sharing）是一种使用计算机 CPU 在多个任务间划分工作的通用技术，由一个人工智能实验室发明。我们在第 2 章提到，计算机程序的快速原型源自人工智能的知识系统领域。如果你在网络上使用搜索引擎，你或许也在使用一项人工智能技术，至少是从人工智能发展出来的技术。事实上，一些搜索引擎现在如此复杂，以至于一些说法表明，它们的运转揭示了人类记忆如何运转[1]。

人工智能的科学方面同样在齐头并进。人工智能与生物学的联系在"神经形态工程"（neuromorphic engineering）等领域得到深化。这对"逆向工程"（reverse engineer）生物学机制而言是一种必要的尝试。这项工作并不简单，从正确的层面完成工程是必要的。目前，这一工作已经在单一神经元层面得到实现。这一领域大幅推进了人工智能和生物学的发展。类似的关系也在人工智能和神经科学中出现。

基础研究几乎在人工智能的全部领域开展。目前最流行的一个领域是代理技术（agent technology）。一个代理可以是源自一个小程序的任何东西，例如，它代表了你在互联网上的兴趣，或许它是一个刻画生动的人造角色,在帮助你使用程序或在计算机游戏中向你射击。

当然,打造身临其境的、有形体的机器人的研究也在同时进行,其中一些还发展出有益的应用,例如,在德国的城市,机器人可以用来维护下水道。探索火星也需要一些复杂机器人。对于此类机器人,无疑将有一些新的应用,这是一个应用可以驱动理论的领域。但一个重要且急迫的任务是找出一些方法,将多个不同方面的成功应用整合起来。

整合,将成功最大化

我们在第 4 章提到了人工智能领域的不同派系。这产生了积极和消极两方面的影响。最积极的影响是人工智能领域的人已经解决了最广泛种类的主题和技术问题。因为人类和动物行为都被包括在人工智能的范畴内,与机器人和计算机整合在一起,或许这点并不令人意外。很难用语言来形容处于一个如此广泛探索的初始阶段是多么令人兴奋,但是,几乎这一领域的所有人都或多或少地表达出了这种兴奋的感觉。

第 4 章同样提到了消极的一面。可能迄今为止试图整合不同方法的尝试太少。人工智能领域的许多人认为其他方法与他们的研究无关,或许会拒绝进行这方面的研究。这在根本上是错误的。正如我们已经看到的,智能是一个极其复杂并且很难

人工智能应有益于人类

被解读的领域。许多不同技术需要同时部署，以进行该领域的研究。如果说第 3 章描述的神经网络方法和第 2 章描述的知识启发研究之间存在任何种类的理论分隔，这显然是相当愚蠢的。更糟糕的是，这些方法常常被制造机器人的学者所诟病。

也许，从一个完全不同的角度来看，人工智能并不总会让该领域的研究人员获益。但如果他们认为其他观点是"错误的"或"愚蠢的"，而非只是"不同的"，他们的研究就会受到影响。理由之一是，这会为借鉴其他观点、方法或者考虑某些问题制造不必要的障碍。对智能行为的研究依旧十分困难。确实没有必要制造这类额外的阻碍。

过去几十年出现的几乎所有研究人工智能的不同方法，都解答了一部分相当困难的科学问题。它们无法独立给出一些完整的解决方案，这并不是问题。一直以来我都认为，人工智能需要的是拒绝智能行为的简单"黄金法则"。正如本书中反复提到的，智能是一种复杂、多维的事物。

学术世界之外，人工智能的不同方法不仅在一个办公室里共存，甚至经常在同一个程序里共存。第 2 章描述的 Clementine 就是一个好例子。很明显，在这种情况下，至少这种整合也是可以赢利的。

当我询问研究人员，为什么在批判其他研究成果和观点上投入了如此多的精力，有一种常常出现的回答：争取资金十分重要。在学术领域如此，但在工业领域并不总是如此。"它能奏效吗"似乎比"在我们的研究范式中，它是可接受的吗"重要。

是时候让人们承认，任何有价值的智能行为观点都必须（至少）包括知识、神经元和情景性（situatedness）。一些哲学家正在尝试从一个相当抽象的层面证明如何完成这项工作。我们必须期望，从应用层面实现对不同方法的这种整合，距离我们并不那么遥远。这种整合带来的实际成功，可能也会影响未来的人工智能发展。本章结尾描述的前景光明的趋势，关乎某种程度上不同人工智能方法的整合，这并非偶然。

当然，整合不同的人工智能方法需要的不只是正确的兼收并蓄的态度。因为不同的研究方法会以根本上不同的方式看待同一问题，没有什么整合它们的捷径。让我们再来看看柯克的问题。布鲁克斯悲痛地说，柯克无法区分手机与眼镜盒。对它来说，这是研究项目的严重失败。对一个使用知识方法研究人工智能的研究人员来说，这个问题既不令人惊讶，也不难解决。用基于知识的术语来说，柯克无法区分这两个东西，因为它没有关于这两个对象的知识。一个简单的解决办法是编写某些规则，来捕捉手机和眼镜盒之间的差异。

使用连接主义方法的研究人员不会编写规则，相反，他们会试图通过一些例子训练一个神经网络。研究人员把手机和眼镜盒放置在柯克的光学设备前，将重量输入修正后的网络中，直到它能够正确区分两种类型的对象。这种情况下并没有显式的例子，但神经网络充当了识别过滤器。

对布鲁克斯和他在麻省理工学院的团队而言，这些都是令人难以置信的某种取巧方法。如果他们想要设计一个设备来区分手机和眼镜盒，有很多可行的方法。手机通常比眼镜盒重，因此，一个校准弹簧上的手臂可以对手机做出一种反应，而对眼镜盒做出其他反应，这就可以完成区分工作。对这个麻省理工团队而言，这只是设计者运用自己对世界的了解，为机器打造特定问题的特定解决方案的一种方法。在特定规则下编程和训练神经网络完成类似的工作是不同的方法。至于柯克，它可能会通过自己的努力研究出区分方法。

但是，对于使用连接主义和基于知识的研究人员，麻省理工学院的方法只是一厢情愿。如果柯克可以区分手机和眼镜盒，它一定基于一条差异性规则。这条规则的内部运转可能不是显式的，甚至可能无法察觉，但从它的行为中很容易就能看出来。只是用优秀的光学设备（实际上，柯克已经拥有了非常好的光学设备）将它们连接到一个强大的计算机和操作者（手臂）上，并且希望出现一些有趣的行为，这不是一个合格的研究方法。甚至更糟糕的是，当有趣的行为没有出现时，正如这个例子中出现的情况，调整机器人来促进事物发展的诱惑实际上变得相当巨大。

因此，对连接主义和基于知识的人工智能研究人员来说，柯克无法区分手机和眼镜盒其实是值得表扬的，因为这说明他们并未投机取巧。稍稍添加一些功能就能帮助柯克完成这个任务，这项工作十分简单。另一方面，他们可能会说，这显示出这种方法的愚蠢。

或许，这个例子帮助我们解释了，为什么人工智能研究人员会对其他人的方法冷嘲热讽。整合各种成功的人工智能技术需要的不仅是大义之词。在不同方法的整合能够开花结果前，有许多有待解决的实际问题和哲学问题。然而，有一些人工智能子领域的整合方法正在成为主流，下一节将讨论其中一个方面：代理技术领域。

前景巨大的人造代理

正如我们在本章前面提到的，从技术层面来看，一个代理可以是许多东西。首先，这一领域太过新颖，尚未形成一个稳定的定义。其次，审慎的跨界已经帮助这个领域的人工智能以一种有效的方式将其他领域的想法整合到一起。这种人工智能研究方法通常会尝试将情景机器人和其他人工智能技术结合起来。对代理而言，重要的不是它们是什么，而是它们做了什么。

因为代理是完整的、相对自主的，它们必须瞬间解决智能行为的大多数问题，例如理解环境、在环境中采取有效行为。

因此，从打造代理来执行特定任务的角度讨论人工智能，至少符合我们在第 4 章讨论的情景具现化和整体性的部分原则。

一个颇有前景的研究流派是大量此类代理的整合。尽管个体的智能可能有限，但当它们像"社会"一样协作时，就会出现更多有益的行为。对蚂蚁等社会性昆虫的研究，已经向我们揭示了"如何通过相对不复杂的个体动物的组合完成相对复杂的任务"的细节。人们希望，协作的（或许还有竞争的）代理团体能够完成比独立个体可以完成的更复杂的任务。

在一些例子中，基于代理的技术的一个优秀特征是它如此简单，甚至几乎所有人都可以制造代理。计算机游戏中的角色可以被视作代理，特别是能够做出一些自主决策的角色。一些探索互联网的程序，甚至给你发垃圾邮件的程序都是代理技术的例子。这种技术相对容易制造，并且相对没有规则，这个事实意味着更有可能实现技术上的进步。某个地方的某些人，可能就在尝试下一个伟大想法。

读懂人工智能
发射探测器与维护下水道，智能代理的两个有趣应用

但是，也有一些来自小型简单程序的代理技术的例子，比如自主或半自主机器人。这类机器人有许多有用的应用，以探索火星为例，在火星表面移动一台机器人可不像我们在

博茨大战和机器人大擂台节目中操作机器人那么简单。从火星接收无线电信号，随后发回控制信号的延迟可能长达数分钟（准确地说是9~48分钟），这段时间内，机器人可能会遇到麻烦。机器人必须使用"装载智能"，以避免陷入更大的困境。

请记住，从事探索活动的半自主机器人只是人工智能的冰山一角。仅2003年一年，人们就计划向火星发射3个探测器。这些探测器依赖于不同人工智能技术的整合：有用来计划这些技术需求的任务规划系统；还有科学家用来预测将要探索的有趣地点的知识系统，知识系统似乎在预测地球上的矿产储藏方面颇为成功；人工智能软件同样被用来优化发回的图片和决策支持系统，帮助控制者执行任务。

另一个有趣的应用是维护下水道系统。在这里，地下管网系统中安置的机械构造相对简单的机器人能够帮我们清除淤积。然而，如果一个机器人被卡住，在请求人类干预前，它能够向附近的机器人求助。这种源自半自主机器人的协作行为与代理技术的其他方面有重合之处。例如，计算机游戏中，玩家的对手理论上可以用与下水道维护机器人相同的方式向玩家做出反击。但实际上，即便在计算机游戏的例子中，它们也只是在屏幕上生成图像的计算机软件的片段。

虚拟女友和人造伴侣，下一个大机遇

将代理视作在屏幕上生成图像的计算机软件的事实，催生了一些非常有趣的人工智能应用。好莱坞主要的电影公司已经在使用计算机生成的"明星"来拍摄电影。当然，电影中的人造角色最早还要追溯到1928年米老鼠亮相。最新技术给我们提供了更加壮观的、无法与人类演员区分开的虚拟角色。电影公司计划让玛丽莲·梦露和亨弗莱·鲍嘉（或者至少是基于计算机重塑的她们）重返银幕。我毫不怀疑，这一技术难题不久后就将被攻克。这种类型的技术很昂贵，但并不像人工智能研究那么困难。由于人类演员的出场费很高（至少在好莱坞如此），使用计算机生成的明星来取代他们的动机就非常真实。

通过整合好莱坞的能力来生成完全令人信服的类人形象，自主或半自主代理的人工智能技术为未来带来了更有趣的可能性。性产业可能是一个对此很感兴趣的行业。我已经提到，这个领域应用的目标是模拟人类特征。相对冷静地来看，这个领域将存在一些可能的人工智能应用。

有必要记住，人类的性驱动已经塑造了技术发展。例如，逐渐主宰家用市场的录像带标准之所以如此火爆，是因为它是色情录像行业采用的标准。互联网的历史亦是如此。互联网最初是少数科研机构使用的军事设施。核能科学家开发出因特网，以方便阅览彼此的研究内容。

通过前面这些技术，我们也许能得出一个结论，那就是这种技术的应用存在巨大需求。可能会出现巨大的市场和巨大的利益，这是它需要被严肃对待的原因。人工智能将以不同方法进入这个产业。其中一个可能是计算机游戏中程序生成的人造角色的延伸。正如我们已经提到的，这些角色通常会包含人工智能。无论它们最初是像在最受欢迎的计算机游戏中那样为了充当靶子而存在，还是像在其他养成类游戏中那样被养育，它们现在都只是卡通形象。将这种人工智能技术与生成完全真实的人造角色的能力结合，是性产业不容错过的一个机会。

全世界范围内，人们对虚拟女友，也就是一个扮演部分女性伴侣的计算机角色需求巨大。似乎在日本商人中最为流行，但我不会去猜测可能的原因。在不久的未来，已有技术的结合可能会创造出相对真实的人造伴侣。从目前来看，屏幕角色比有形体的机器人更有可能出现。当然，这正是当前大多数电影和电视明星存在的形式。

人们非常容易即时体验到对这种可能性的情感反应。但这只是现有技术发展和社会趋势的组合。有些作家，例如尼尔·福鲁德（Neil Frude），将其视作一个真正的反乌托邦前景。他们声称，人们倾向于人造而非真实，更愿意与自己的人造伴侣待在家中，而不是出门面对真实世界的诸多风险。这会导致具备无法预测性和困难的正常人类交流的减少[2]。但20世纪的屏幕角色并没有瓦解人类社会，有人可能会如此驳斥这个观点。大多数人能够区分虚拟和真实，人们也将适应这种技术，正如他们适应电视和计算机游戏一样。然而，电影、电视肥皂剧和计算机游戏等 20 世纪的虚拟技术常常制造出大量利润，因此，从经济角度来看，这会是一个有吸引力的应用领域。

并非所有人造伴侣都是性产业制造的。这一技术的一个有趣的军事应用是有名的"飞行员副驾驶"（The Pilot's Associate）。由于现代战斗机的飞行员可能会过度疲劳，研究人员开发出一个知识系统来引导飞行员，使他们的注意力始终集中在最紧急的信息上，可能是来袭的导弹、引擎过热、燃料不足或其他紧急事件。研究显示，向人类飞行员呈现这类紧急信息最有效的方式是在他们的耳机中播放女性声音。这也解释了为什么飞行员为这个系统起名叫"怨妇贝蒂"。

一个同时具有前景和社会效益的人造伴侣的应用，是以多种形式（包括实体机器人）照顾老年人的系统。这些系统能够整合家用技术，监控做饭、洗澡水温度等，以避免发生意外。机器人能够帮助我们完成多种日常家务。这种技术会与性产业使用的人工智能齐头并进还是自成一派，这将是一个有趣的问题，我希望很快就能看到答案。

然而，如果一定要我猜测人工智能的下一次重大发展，我不得不说，它会出现在令人惊讶的领域。我确实期待被惊到。先前的发展多是从无到有。一些用不同方法研究熟悉问题的研究人员通常会实现突破。有时候，研究人员会关注那些长期被忽略的想法，使用现代计算机再次尝试。有时候，持不同意见的人会提出革命性的想法。

正如我在前言中提到的，人工智能是一个引人入胜的世界，同时，现在也是深入其中的最佳时机。

章后总结

1. 几乎所有技术都会改变接纳它们的人和社会，通常会超出所有人的认知。作为一项技术，人工智能可能产生的影响与先前的技术所造成的影响一样巨大。

2. 当前的和可预见的人工智能技术似乎更擅长取代高度专业化的岗位，而非一般性或更具人类特征的岗位。

3. 人工智能技术使用的黄金场景是，它将使人类变得更加高效、智能。

4. 人类将倾向于使用人工智能来放大他们自身的智能，正如我们今天使用IT技术的方式。这可能会给予某些团体和国家更大的力量，但它也将使大多数人获得比他们今天拥有的更多的能力。

● **拓展阅读**

- 想要深入研究人工智能的社会影响可以参考《对人工智能的思考：法律、道德和伦理维度》(Reflections on AI: the Legal, Moral, and Ethical Dimensions)（惠特比，1996年）。

- 汉斯·莫拉维克在《心智孩童》(1990年) 一书中提及机器人接管世界。

- 玛格丽特·博登撰写了《创造性思维》(The Creative Mind)（1990年），将人工智能应用于艺术创造。这本书已经成为对人工智能和艺术之间关系有兴趣的人的必读书。

- 斯特拉瑞克有一个网站：http://www.stelarc.va.com.au/，这个网站评价了他的研究和思考。

2 人工智能的荣耀时刻

1. 2003年2月1日,这部分刚撰写完不久,哥伦比亚号飞船在返航过程中,与它所载的7位宇航员一起迷失在太空。这次悲剧并未影响我关于人工智能在规划太空飞船发射中有益性的主张。我决定保留原来的文本,并且坚信,太空飞船很快将重新起航。

4 人工智能跃迁的7大难题

1. "……如果我们想象,存在一台机器,它的结构可以使它思考、感觉并获得认知,我们就能想办法使它成长……我们能够进入它,就像人走进山丘一样。假设……我们只发现了推动另一部分前进的组件,我们将永远无法找出解释认知的东西。"莱布尼茨,《单子论》(*Monadology*),第17章。

2. 参见第1章"图灵测试"。

3. 对实践目的最为重要的就是所谓的"停机问题"。这表明，我们无法提前判断给定计算机是否会在给定输入上运行给定程序时停止，或者它是否会"一直循环"。我们有必要记住，这是已经被数学方法证明的结论，而非程序员的发现。实际上，早在程序员出现前，数学家就已经发现了这个结论。

4. Brooks,"Intelligence Without Representation", pp. 139–59.

5 通向真正的人工智能之路

1. Kuhn, *The Structure of Scientific Revolutions*.

2. 想了解更多细节，请参见惠特比的 *Reflections on Artificial Intelligence*。

3. Nagel,"What is it like to be a bat?"

4. 这个有趣的理论由杰弗里·米勒在《求偶心理》(*The Mating Mind*)(2000年)中提出。

6 人工智能应有益于人类

1. Clark,'Local Associations and Global Reason', pp. 115–40.

2. Frude, *The Intimate Machine*.

- Abelson, R.P., 'The Structure of Belief Systems', in R.C. Schank and K.M. Colby, (eds) *Computer Models of Thought and Language*. San Francisco, W.H. Freeman, 1973.
- Aleksander, I. and Morton, H., *An Introduction to Neural Computing*. London, Chapman & Hall, 1990.
- Anderson, A.R. (ed.), *Minds and Machines*. Englewood Cliffs, NJ, Prentice-Hall, 1964.
- Asimov, I., *I Robot*. St. Albans, Panther Books Ltd, 1968.
- Beerel, A.C., *Expert Systems Strategic and Implications Applications*. Chichester, Ellis Horwood, 1987.
- Boden, M.A., *Minds and Mechanisms, Philosophical Psychology and Computational Models*. Brighton, Harvester, 1981.

    ——, 'Impacts of Artificial Intelligence', *AISB Quarterly*, 49, Winter 83-84.

    ——, *Artificial Intelligence and Natural Man* (2nd edn). London, MIT Press, 1987.

——, *The Creative Mind, Myths and Mechanisms*. London, Weidenfeld & Nicolson, 1990.

- Boden, M.A. (ed.), *Dimensions of Creativity*. Cambridge, MA and Bradford, MIT, 1994.
- Born, R.P. (ed.), AI, *The Case Against*. London, Croom Helm, 1987.
- Bramer, M.A. (ed.), *Research and Development in Expert Systems III*. Cambridge, Cambridge University Press, 1987.
- Brooks, R.A., 'Intelligence Without Representation', *Artificial Intelligence Journal*, 47, 1991, pp. 139-59.

——, *Robot: The Future of Flesh and Machines*, London, Penguin, 2002.

- Ciampi, C. (ed.), *Artificial Intelligence and Legal Information Systems*. Oxford, North-Holland, 1982.
- Clark, A., *Microcognition: Philosophy, Cognitive Science, and Parallel Distributed Processing*. London, MIT Press, 1989.

——, *Being There, Putting Brain, Body, and World Together Again*. London, MIT Press, 1997.

——, 'Local Associations and Global Reason: Fodor's Problem and Second-Order Search', *Cognitive Science Quarterly*, 2002, 2, 115-40.

- Colby, K.M., Hilf, F.D., Weber, S., and Kraemer, H.C., 'Turing-Like Indistinguishability Tests for the Validation of a Computer Simulation of Paranoid Processes', *AI*, 3, 1972.
- Crane, T., *The Mechanical Mind, A Philosophical Introduction to*

Minds, Machines, and Mental Representation. London, Penguin, 1995. Dennett, D., *Brainstorms*. Brighton, Harvester, 1978.

——, 'Cognitive Wheels' (1984), in *Brainchildren, Essays on Designing Minds*. London, Penguin, 1998.

——, *Consciousness Explained*. London, Penguin, 1993.

——, *Darwin's Dangerous Idea, Evolution and the Meanings of Life*. London, Penguin, 1995.

——, *Brainchildren, Essays on Designing Minds*. London, Penguin, 1998.

- Derry, T.K. and Williams, T.I., *A Short History of Technology*. Oxford, Oxford University Press, 1960.
- Dreyfus, H.L., *What Computers can't do: a Critique of Artificial Intelligence*. New York, Harper & Row, 1972.
- Dreyfus, H.L. and Dreyfus, S., *Mind over Machine*. New York, Free Press, 1986.
- Enver, T., *Britain's Best Kept Secret: Ultra's Base at Bletchley Park*. Stroud, Glos., Alan Sutton, 1994.
- Feigenbaum, E.A. and McCorduck, P., *The Fifth Generation*. London, Pan Books, 1984.
- Forester, T. (ed.), *The Information Technology Revolution*. Oxford, Blackwell, 1985.
- Forsyth, R. and Naylor, C., *The Hitchhiker's Guide to Artificial Intelligence*. London, Chapman & Hall, 1986.
- Frude, N., *The Intimate Machine*. New York, New American Library,

1983.

- Gardner, A., *An Artificial Intelligence Approach to Legal Reasoning.* London, MIT Press, 1987.
- Gill, K.S. (ed.), *Artificial Intelligence for Society.* Chichester, John Wiley, 1986.
- Grand, S., *Creation: Life and How to Make it.* London, Weidenfeld & Nicolson, 2000.

——, *Growing up with Lucy* (forthcoming). London, Weidenfeld & Nicolson, 2003.

- Harnsh, R.M., *Minds, Brains, and Computers, An Historical Introduction to the Foundations of Cognitive Science.* Oxford, Blackwell, 2002.
- Harre, R., *Cognitive Science, A Philosophical Introduction.* London, Sage, 2002.
- Hodges, A., *Alan Turing, the Enigma of Intelligence.* London, Unwin Paperbacks, 1985.
- Hofstadter, D.R., *Godel Escher Bach, An Eternal Golden Braid.* Brighton, Harvester, 1977.
- Hofstadter, D.R., and Dennett, D.C. (eds), *The Mind's I.* Brighton, Harvester, 1981.
- Jackson, P., *Introduction to Expert Systems* (2nd edn). Wokingham, Addison-Wesley, 1990.
- Kuhn, T.S., *The Structure of Scientific Revolutions.* University of Chicago Press, 1970.

- LaChat, M., 'Artificial Intelligence and Ethics: An Exercise in the Moral Imagination', *The AI Magazine*, Summer 1986, pp. 70-9.
- Leibnitz, G.W. von, *Monadology*. First published in English, Oxford, Clarendon Press, 1898.
- Levy, S., *Artificial Life, The Quest for a New Creation*. London, Penguin, 1993.
- Lighthill, J., et al., *Artificial Intelligence: a Paper Symposium*. London, Science Research Council, 1973.
- Luger, G. and Stubblefield, W., *Artificial Intelligence Structures and Strategies for Complex Problem Solving* (2nd edn). Redwood City, CA, Benjamin/Cummins, 1993.
- McCorduck, P., *Machines Who Think*. San Francisco, W.H. Freeman, 1979.
- Michie, D., 'The Social Aspects of Artificial Intelligence', in T. Jones, (ed.), *Microelectronics and Society*. Milton Keynes, Open University Press, 1980.
- Miller, G., *The Mating Mind: How Sexual Choice Shaped the Evolution of Human Nature*. London, William Heinemann, 2000.
- Miller, P.L., *A Critiquing Approach to Expert Computer Advice: ATTENDING*. London, Pitman Publishing, 1984.
- Minsky, M, *The Society of Mind*. New York, Simon & Schuster, 1986.
- Moravec, H., *Mind Children, The Future of Robot and Human Intelligence*. Cambridge, MA, Harvard University Press, 1990.
- Nagel, T., 'What is it like to be a bat?', *Philosophical Review* LXXXIII

1974 (repr. in *Mortal Questions*. Cambridge, Cambridge University Press, 1979).

——, *Mortal Questions*. Cambridge, Cambridge University Press, 1979.

- O Nuallain, S., *The Search for Mind, A New Foundation for Cognitive Science*. Bristol, Intellect, 2002.
- Owen, K., *Report on the Social Implications of Expert Systems and Artificial Intelligence*. BCS Publications, 1985.
- Penrose, R., *The Emperor's New Mind: Concerning Computers, Minds, and the Laws of Physics*. Oxford, Oxford University Press, 1989.
- Pfeifer, R. and Scheier, C., *Understanding Intelligence*. London, MIT Press, 1999.
- Randell, B. (ed.), *The Origins of Digital Computers*. New York, Springer-Verlag, 1982.
- Rich, E., *Artificial Intelligence*. New York, McGraw-Hill, 1983.
- Russell, S. and Norvig, P., *Artificial Intelligence: A Modern Approach* (2nd edn). Upper Saddle River, NJ, Prentice Hall, 2003.
- Searle, J., 'Minds, Brains and Programs', in *The Behavioral and Brain Sciences*, vol. 3, 1980; also in D.R. Hofstadter and D.C. Dennett, (eds), *The Mind's I*, Brighton, Harvester, 1981.

——, *Minds, Brains, and Science*. London, Penguin, 1991.

——, *The Rediscovery of the Mind*. London, MIT Press, 1994.

- Shortcliffe, E.H., *Computer-based Medical Consultations: MYCIN*.

New York, American Elsevier, 1976.
- Sloman, A., *The Computer Revolution in Philosophy*. Brighton, Harvester, 1978.
- Susskind, R., *Expert Systems in Law*. Oxford, Oxford University Press, 1987.
- Taube, M., *Computers and Common Sense*. New York, Columbia, 1968.
- Tennekes, H., Th*e Simple Science of Flight: From Insects to Jumbo Jets.* Cambridge, MA, MIT Press, 1997.
- Thorton, C. and du Boulay, B., *Artificial Intelligence through Search*. Bristol, Intellect, 1992.
- Torrance, S. (ed.), *The Mind and the Machine: Philosophical Aspects of Artificial Intelligence*. Chichester, Ellis Horwood, 1984.
- Torrance, S., 'Ethics, Mind and Artifice', in K.S. Gill, (Ed.), *Artificial Intelligence for Society*. Chichester, John Wiley, 1986.
- Turing, A.M., 'Computing Machinery and Intelligence', first published in *Mind* LIX, 236; also in A.R. Anderson, (ed.), *Minds and Machines*. Englewood Cliffs, NJ, Prentice-Hall, 1964; and D.R. Hofstadter and D.C. Dennett (eds), *The Mind's I*. Brighton, Harvester, 1981.
- Turkle, S., *The Second Self, Computers and the Human Spirit*. London, Granada, 1984.
- Weinberg, G.M., *The Psychology of Computer Programming*. New York, Van Nostrand Rheinhold, 1971.
- Weizenbaum, J., 'ELIZA-a computer program for the study of

natural language communication between man and machine', Communications of the ACM 9 (1), 1966 pp. 36-45.

——, Computer Power and Human Reason. Harmondsworth, Penguin, 1984.

- Whitby, B., 'AI: Some Immediate Dangers', in M. Yazdani and A. Narayanan (eds), Artificial Intelligence: Human Effects. Chichester, Ellis, Horwood, 1984.

——, 'The Computer as a Cultural Artefact', in K.S. Gill, (ed.), Artificial Intelligence for Society. Chichester, John Wiley, 1986.

——, Artificial Intelligence: A Handbook of Professionalism. Chichester, Ellis Horwood, 1988.

——, Reflections on Artificial Intelligence, The Legal, Moral, and Ethical Dimension. Bristol, Intellect, 1996.

- Wood, S., 'Expert Systems for Theoretically Ill-formulated Domains', in M.A. Bramer, (ed.), Research and Development in Expert Systems III.Cambridge, Cambridge University Press, 1987.

——, Planning and Decision-Making in Dynamic Domains. Chichester, Ellis Horwood/Wiley, 1993.

- Yazdani, M. and Narayanan, A. (eds), Artificial Intelligence: Human Effects. Chichester, Ellis Horwood, 1984.

- Yazdani, M. and Whitby, B., 'Artificial Intelligence: building birds our of beer cans', Robotica, 5, pp. 89-92.

致谢

这本书的完成，单凭我一己之力难以做到。在此，我要对很多人的帮助表示感谢。我要感谢那些不断督促我，让我做出清晰、准确解释的学生。教学相长中，正是他们的存在，让我积累了不少素材。同样地，我可能无法悉数列出过去数年间，那些曾挑战或支持过我的观点、给我带来了无数帮助的同行的名字。

感谢安·格兰德（Ann Grand）指出，被"编程"的雏菊会接管世界。下面提到的朋友和同行对本书提出了宝贵的意见：玛吉·博登（Maggie Boden）、奥利维娅·博耶（Olivia Boyer）、罗恩·克里斯利（Ron Chrisley）、安迪·克拉克（Andy Clark）、罗布·克洛斯（Rob Clowes）、戴尔德丽·库尼汉（Deirdre Counihan）、基兰·戴尔（Kyran Dale）、史蒂夫·德雷珀（Steve Draper）、卡莱尔·乔治（Carlisle George）、戴夫·尼科尔森（Dave Nicholson）、迈克·沙普尔斯（Mike Sharples）、亚伦·斯洛曼（Aaron Sloman）、尼克·斯奇帕尼克（Nick Szczepanik）、史蒂夫·托

兰斯（Steve Torrance）、德斯·沃森（Des Watson）、埃米莉·惠特比（Emily Whitby）、莎伦·伍德（Sharon Wood）和戴维·扬（David Young）。同时，不少匿名读者也给本书提供了中肯意见。在此，我必须承认，对这些建议与意见，我并没有尽数采纳，因此，本书中如有不足之处，实则是我的过失。

未来，属于终身学习者

我这辈子遇到的聪明人（来自各行各业的聪明人）没有不每天阅读的——没有，一个都没有。巴菲特读书之多，我读书之多，可能会让你感到吃惊。孩子们都笑话我。他们觉得我是一本长了两条腿的书。

——查理·芒格

互联网改变了信息连接的方式；指数型技术在迅速颠覆着现有的商业世界；人工智能已经开始抢占人类的工作岗位……

未来，到底需要什么样的人才？

改变命运唯一的策略是你要变成终身学习者。未来世界将不再需要单一的技能型人才，而是需要具备完善的知识结构、极强逻辑思考力和高感知力的复合型人才。优秀的人往往通过阅读建立足够强大的抽象思维能力，获得异于众人的思考和整合能力。未来，将属于终身学习者！而阅读必定和终身学习形影不离。

很多人读书，追求的是干货，寻求的是立刻行之有效的解决方案。其实这是一种留在舒适区的阅读方法。在这个充满不确定性的年代，答案不会简单地出现在书里，因为生活根本就没有标准确切的答案，你也不能期望过去的经验能解决未来的问题。

而真正的阅读，应该在书中与智者同行思考，借他们的视角看到世界的多元性，提出比答案更重要的好问题，在不确定的时代中领先起跑。

湛庐阅读App：与最聪明的人共同进化

有人常常把成本支出的焦点放在书价上，把读完一本书当作阅读的终结。其实不然。

时间是读者付出的最大阅读成本

怎么读是读者面临的最大阅读障碍

"读书破万卷"不仅仅在"万"，更重要的是在"破"！

现在，我们构建了全新的"湛庐阅读"App。它将成为你"破万卷"的新居所。在这里：

● 不用考虑读什么，你可以便捷找到纸书、电子书、有声书和各种声音产品；

● 你可以学会怎么读，你将发现集泛读、通读、精读于一体的阅读解决方案；

● 你会与作者、译者、专家、推荐人和阅读教练相遇，他们是优质思想的发源地；

● 你会与优秀的读者和终身学习者为伍，他们对阅读和学习有着持久的热情和源源不绝的内驱力。

下载湛庐阅读App，
坚持亲自阅读，
有声书、电子书、阅读服务，
一站获得。

本书阅读资料包

给你便捷、高效、全面的阅读体验

本书参考资料
湛庐独家策划

- ☑ **参考文献**
  为了环保、节约纸张，部分图书的参考文献以电子版方式提供

- ☑ **主题书单**
  编辑精心推荐的延伸阅读书单，助你开启主题式阅读

- ☑ **图片资料**
  提供部分图片的高清彩色原版大图，方便保存和分享

相关阅读服务
终身学习者必备

- ☑ **电子书**
  便捷、高效、方便检索、易于携带、随时更新

- ☑ **有声书**
  保护视力，随时随地，有温度、有情感地听本书

- ☑ **精读班**
  2~4周，最懂这本书的人带你读完、读懂、读透这本好书

- ☑ **课程**
  课程权威专家给你开书单，带你快速浏览一个领域的知识概貌

- ☑ **讲书**
  30分钟，大咖给你讲本书，让你挑书不费劲

湛庐编辑为你独家呈现
助你更好获得书里和书外的思想和智慧，请扫码查收！

(阅读资料包的内容因书而异，最终以湛庐阅读App页面为准)

湛庐阅读 App

思想者的声音图书馆

倡导亲自阅读

不逐高效,提倡大家亲自阅读,通过独立思考领悟一本书的妙趣,把思想变为己有。

阅读体验一站满足

不只是提供纸质书、电子书、有声书,更为读者打造了满足泛读、通读、精读需求的全方位阅读服务产品 —— 讲书、课程、精读班等。

以阅读之名汇聪明人之力

第一类是作者,他们是思想的发源地;第二类是译者、专家、推荐人和教练,他们是思想的代言人和诠释者;第三类是读者和学习者,他们对阅读和学习有着持久的热情和源源不绝的内驱力。

以一本书为核心

遇见书里书外，更大的世界

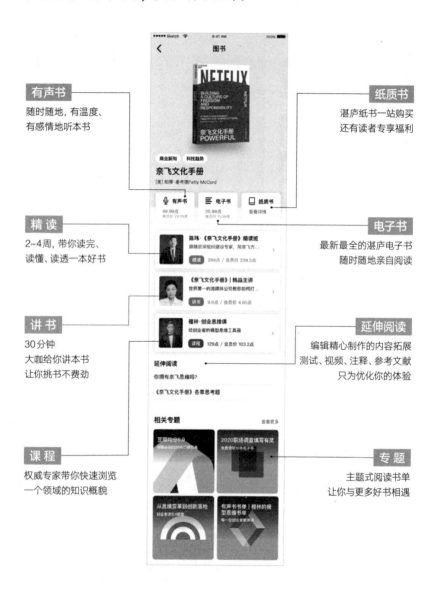

有声书
随时随地，有温度、有感情地听本书

精读
2~4周，带你读完、读懂、读透一本好书

讲书
30分钟
大咖给你讲本书
让你挑书不费劲

课程
权威专家带你快速浏览
一个领域的知识概貌

纸质书
湛庐纸书一站购买
还有读者专享福利

电子书
最新最全的湛庐电子书
随时随地亲自阅读

延伸阅读
编辑精心制作的内容拓展
测试、视频、注释、参考文献
只为优化你的体验

专题
主题式阅读书单
让你与更多好书相遇

Artificial Intelligence: A Beginner's Guide by Blay Whitby
Copyright © Blay Whitby 2003
First published in the United Kingdom by Oneworld Publications
All rights reserved

本书由 Oneworld Publications 在英国首次出版。

本书中文简体字版由 Oneworld Publications 授权在中华人民共和国境内独家出版发行。未经出版者书面许可，不得以任何方式抄袭、复制或节录本书中的任何部分。

版权所有，侵权必究。

图书在版编目（CIP）数据

人人都该懂的人工智能 / (英) 布莱·惠特比著；郭雪译. — 杭州：浙江人民出版社，2019.3（2023.12重印）

书名原文：Artificial Intelligence: A Beginner's Guide

ISBN 978-7-213-09215-2

Ⅰ.①人… Ⅱ.①布…②郭… Ⅲ.①人工智能—普及读物 Ⅳ.①TP18-49

中国版本图书馆CIP数据核字（2019）第044182号

浙江省版权局
著作权合同登记章
图字：11-2019-20号

上架指导：人工智能/通俗读物

版权所有，侵权必究
本书法律顾问　北京市盈科律师事务所　崔爽律师

人人都该懂的人工智能

[英] 布莱·惠特比　著
郭雪　译

出版发行：浙江人民出版社（杭州体育场路347号　邮编　310006）
　　　　　市场部电话：（0571）85061682　85176516
集团网址：浙江出版联合集团　http://www.zjcb.com
责任编辑：王　芸
责任校对：姚建国
印　　刷：天津中印联印务有限公司
开　　本：880mm×1230mm 1/32　　印　张：6.5
字　　数：116千字
版　　次：2019年3月第1版　　印　次：2023年12月第4次印刷
书　　号：ISBN 978-7-213-09215-2
定　　价：59.90元

如发现印装质量问题，影响阅读，请与市场部联系调换。